Dieses Buch gehört:

Ute Palm

_____

Viel Spaß beim Backen

UG

München, Okt. 1981

Wir danken dem
„Europäischen Brotmuseum"
in Mollenfelde
für die gute Zusammenarbeit.

DAS BROT BACKBUCH

gesammelt, aufgeschrieben und ausprobiert von
Jutta Kürtz

verlegt von
Wolfgang Hölker

ISBN-Nr.: 3-9800058-3-6
VVA-Nr.: 280/00003-5
©Copyright 1975/D by Verlag Wolfgang Hölker
4400 Münster, Martinistraße 2
Alle Rechte vorbehalten, auch auszugsweise
Printed in Germany by Druckhaus Cramer, Greven
Imprimé en Allemagne
Buchbinderische Verarbeitung: Klemme und Bleimund, Bielefeld
Musterschutz angemeldet beim Amtsgericht Münster

Inhalt

„Backe, backe Kuchen der Bäcker hat gerufen . . ." Sie kennen sicher diesen Kinderreim. Wissen Sie, daß er einst mehr als ein Liedchen war? Der Bäcker rief wirklich, wenn Semmeln und Brezel, Kuchen und Brot frisch aus dem Ofen kamen. Er rief, und er blies auf dem Kuhhorn. Heute ruft kein Bäcker mehr. Jedermann weiß auch so, daß man immer und überall Brot kaufen kann.

Erinnern Sie sich – Großmutters selbstgebackenes Brot schmeckte anders, roch ganz anders. Unser täglich Brot kommt aus Fabriken, aus computergesteuerten Maschinen, aus Backstraßen, wird geformt aus fertigen Mischungen, versehen mit chemischen Backhilfen. Wir verstehen ja, daß dem Bäcker keine Wahl bleibt. Er unterliegt dem Zwang unserer Zeit.

Dennoch – eines Tages packte mich die Sehnsucht nach Großmutters Backwerk. Zu einem guten Essen, so meinte ich, gehöre auch ein gutes Brot. Und so wurde ich zum Eigen-Brötler – zu einer „Person, die ihr eigenes, selbstgebackenes Brot verzehrt", wie man einst sagte, als man unter dem Eigenbrötler noch nicht den Sonderling verstand.

Nicht etwa, daß es mir an Arbeit fehlte. Immerhin habe ich jeden Tag sechs hungrige Mäuler zu stopfen. Aber glauben Sie's mir: Erstens ist es in unseren modernen Küchen nur eine Organisationsfrage, schnell mal ein Brot zu backen. Und zweitens belohnen mich Appetit und Lob meiner Rasselbande.

Von meinen Freunden lassen sich immer mehr überzeugen, daß der eigene Herd auch für Brot-Bäcker Goldes (und Geldes) wert ist. Und zwar der ganz a-nostalgische Elektroherd. Denn es muß nicht gleich ein Steinofen im Garten sein. Mag auch der Hauch der Hölzer und des Besonderen fehlen – der ganz normale Herd macht's möglich.

Auch Sie werden sehen: Haus-backenes Brot hat nichts von dem Einheitsgeschmack, den wir allerorten kaufen. Und – mich über- zeugen auch nicht die teuren Fertigpackungen. Ich finde, sie sind ein Witz . . .

Aber vor das Brot-Backen geht das Studieren. Sie sollten, wenn Sie hier vorne dieses Vorwort gelesen haben, mit dem Buch von hinten beginnen. Denn was Sie vor dem Backen erlesen, sparen Sie nach dem Backen an Ärger. Dabei sollen Ihnen die „Tips und Tricks" (ab Seite 40) helfen.

Historie und Histörchen sind für jene Brot-Freunde gedacht und gemacht, die nicht nur schmecken, sondern auch schmökern wollen, wenn sie Rezepte lesen. Geht es Ihnen wie mir? Können Sie sich auch „festlesen" beim Backen? Sie müssen nur aufpassen, daß sich das Brot nicht schwarz ärgert . . .

Das Brot, von Mythen und Riten umgeben, in der Frühzeit wie eine Gottheit verehrt, hat immer und überall im menschlichen Leben eine zentrale Rolle gespielt. Es ist eines der ältesten Künste dieser Welt, Brei zu Brot zu verarbeiten. Es ist eine der jüngsten Strömungen dieser Welt, sich darauf wieder zu besinnen. Nicht umsonst schrieb vor kurzem ein bekannter Kolumnist verächtlich über die „Brote aus Cello- phanhüllen": Es gibt kein Brot mehr – es gibt nur noch Brotsorten.

Mir scheint: Er kannte mich und meine Brote nicht.
Und Sie nicht – und die Ihren . . .

7

I.

Die Brotgeschichte fängt bei den Ameisen an

Können Sie sich das vorstellen:

die größte und modernste Bäckerei Europas hat vor kurzem in Prag den Betrieb aufgenommen. Bei voller Kapazitätsausschöpfung kann sie **in der Stunde** 2,7 Tonnen Brot und 88 000 Brötchen produzieren ...

wie die wohl schmecken?

Die ersten Bauern waren die Ameisen. Sagt die Sage. Und sie stützt sich dabei auf die Sprüche Salomons. (Lesen Sie es einmal nach, wenn Sie Zeit haben, Sprüche 6, Vers 6) Die Ameisen sollen als erste mit Fleiß und Sorgfalt Körner in die Erde gelegt, Unkraut gezupft, das Wachsen körnertragender Gräser bewacht und die Früchte geordnet haben.

Können Sie das glauben? Sicher ist, daß die ersten Menschen k e i n e Bauern waren. Sie waren Jäger. Sie ernährten sich von den Tieren und Früchten des Waldes. Zu ihrer „Beute" gehörten auch die Gräser und andere wildwachsende Pflanzen. Mehlfruchtarten unter ihnen wurden unbeachtet fortgeworfen, vergessen, wuchsen zufällig heran, trugen Früchte und waren so das älteste Brotgetreide. Vor Tausenden von Jahren. Die Menschen wurden durch sie seßhaft, denn nun warteten sie auf die Ernte ihrer Saat, wurden Bauern, verarbeiteten die Früchte zu Brei und Brot.

Als älteste Getreidepflanzen sind Gerste, Weizen und Hirse bekannt – Weizen und Gerste in Vorderasien und Ägypten, Hirse zunächst bei den mongolischen und kirgisischen Nomaden Zentralasiens. Am Nil kannte man Weizen schon im sechsten Jahrtausend vor Christi Geburt. Zusammen mit dem Roggen, der erst um 700 vor Christi entlang der Nordküste des Schwarzen Meeres aufkam, wurde der Weizen zum Getreide der Europäer. Afrika entwickelte sich zum Land der Hirse, in Asien war Nahrung gleichbedeutend mit Reis (in der chinesischen Sprache gibt es sogar nur ein einziges Wort für beides). Im Land der Rothäute siegte der Mais.

Als man bei uns gerade mit der Ackerkultur begann, nannte man die Ägypter schon lange „Brotesser". Man zerrieb rohe oder geröstete Körner, rührte sie mit Wasser, Milch, Tierblut oder Fett an und aß diesen Getreidebrei als „Brot". Erfindungsreiche „Hausfrauen" strichen den Brei schließlich in die Asche des Herdes oder trockneten ihn auf heißen Steinen. Es entstanden harte Fladen, die gebrochen oder aufgeweicht gegessen wurden. Man entwickelte Stein- und Sonnenöfen und ließ Brotfladen zum wichtigen Bestandteil der täglichen Nahrung werden. Später erfand man – genauso zufällig wie das „Backen" überhaupt – den Sauerteig. Erst durch ihn wurden Fladen zu Brotlaiben.

Phönizier und Ägypter brachten das Brot auch nach Griechenland. Dort wurde durch Zugabe von Öl, Käse, Milch, Wein, Mohn und durch viele Gewürze das Fladenbrot im Geschmack verfeinert. Man entwickelte Öfen, Reisende trugen die neuen Erkenntnisse nach Italien weiter. Und dort erst wurde das Handwerk des Bäckers geboren.

Weißbrot einfach

500 g Weizenmehl, 1 Prise Salz, 3 dl Milch, 40 g Fett,
½ – 1 Päckchen Hefe, 1 Eßlöffel Zucker

Aus den Zutaten wird ein Hefeteig zubereitet. Er muß gut durchgeknetet werden. In der Schüssel an einem warmen Ort ca. 25 Minuten
gehenlassen, erneut durchkneten. Zum Laib formen. Noch einmal
gehen lassen. Im vorgeheizten Ofen bei 200 bis 220 Grad 40 bis 45 Minuten backen.

12

Weißbrot vom Blech

*500 Weizenmehl, 1 Prise Salz, ⅛ l Milch,
⅛ l Wasser, 10 g Fett, 1 Päckchen Hefe, 1 Teelöffel
Zucker*

Aus den Zutaten einen elastischen Hefeteig kneten. Warmstellen und
gehenlassen. Noch einmal gut durchkneten und zum Laib formen.
Oberfläche einkerben und mit Mehl bestreuen. Auf einem gefetteten
Backblech gehenlassen. Bei 200 bis 220 Grad 40 bis 50 Minuten backen.

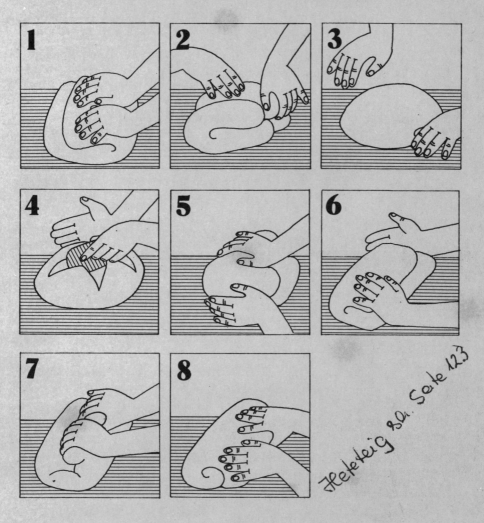

Hefeteig s.a. Seite 123

13

Osterkranz

500 g Weizenmehl, 1 Prise Salz, 2 dl Milch, 80 g Fett,
1 Päckchen Hefe, 1 Eßlöffel Zucker, 1 Ei

Aus den Zutaten einen festen Hefeteig kneten. Warmstellen und gehenlassen. Erneut durchkneten und zu einem Kranz flechten. Ausgebla-
sene Eier mit Öl bestreichen und (für den Ostertisch) mit einbacken.
Nach dem Abbacken auslösen und am Ostersonntag durch bunte, ge-
färbte Eier ersetzen. Noch einmal gehenlassen, mit Eigelb oder Milch
bestreichen und bei 200 Grad 40 bis 45 Minuten backen.

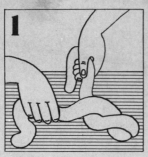 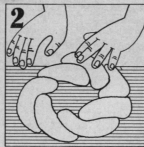 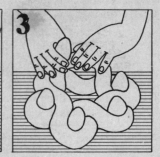

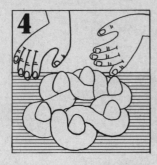

*Ja bestecke den Kranz
alljährich für den
Ostersonntag mit
Bunten Eiern!*

Châtelainebrot

500 g Weizenmehl, 1 Prise Salz, ¼ l Milch, 80 g Fett,
1 Päckchen Hefe, 80 g Zucker, 2 Eier

Aus den Zutaten einen geschmeidigen Teig kneten. Warmstellen und
gehenlassen. Erneut durchkneten. Zum Laib formen und noch einmal
gehenlassen. Bei 200 Grad 40 bis 50 Minuten backen.

14

*Dieses Brot gab es einst im vornehmen
Hamburger „Châtelaine" zum Frühstück -
- stets knusprig und frisch*

Gebrühtes Weißbrot

*1 kg Weizenmehl, ½ l Wasser, 1 Teelöffel Salz,
1 Päckchen Hefe, 1 Teelöffel Zucker*

Die halbe Mehlmenge in eine Schüssel geben und mit kochendem
Wasser überbrühen. Zum Brei verrühren und abkühlen lassen. Hefe
mit Zucker aufrühren und zusammen mit dem restlichen Mehl zum
Brühstück dazugeben. Gut durchkneten, warmstellen und gehenlassen. Erneut durchkneten und zum Laib formen. Oberfläche tief
einkerben. Auf gefettetem Backblech oder in der Form noch einmal
gehenlassen. Bei 200 bis 220 Grad 40 bis 50 Minuten backen.

Buttermilchbrot

*420 g Weizenmehl, 1 Prise Salz, 2 dl Buttermilch,
1 dl Vollmilch, 50 g Fett, 1 Päckchen Hefe, 1 Eßlöffel
Zucker*

Aus den Zutaten einen sehr elastischen Teig kneten, warmstellen
und gehenlassen. Erneut durchkneten. Zum Laib formen und noch
einmal gehenlassen. Bei 200 bis 220 Grad 40 bis 45 Minuten backen.

Anis-Brot

*500 g Weizenmehl, 1 Prise Salz, ⅛ l Milch, 60 g Fett,
1 Päckchen Hefe, 125 g Zucker, 1 Eßlöffel Rosenwasser, 1 Teelöffel Anis*

Aus den Zutaten einen geschmeidigen Teig zubereiten. Warmstellen und gehenlassen. Erneut durchkneten. Zum Laib formen
und noch einmal gehenlassen. Bei 200 Grad 40 bis 50 Minuten
backen.

Quarkbrot

500 g Weizenmehl, 1 Prise Salz, ¼ l Milch, 30 g Fett, 1 Päckchen Hefe, 1 Teelöffel Zucker, 1 Ei, 500 g Magerquark

Aus den Zutaten ·einen nicht zu klebrigen Teig schlagen. Warmstellen und gehenlassen. Unter Mehlzugabe erneut durchkneten. Laib formen und in einer gefetteten Kastenform noch einmal gehenlassen. Bei 180 bis 200 Grad 40 bis 50 Minuten backen.

Mohnzopf   *zu Angelikas Geburtstag!*

500 g Weizenmehl, 1 Teelöffel Salz, ¼ l Milch, 40 g Fett, 1 Päckchen Hefe, 1 Teelöffel Zucker, 2 Eßlöffel Mohn, 1 Eigelb zum Bestreichen

Aus den Zutaten einen geschmeidigen Teig kneten. Warmstellen und gehenlassen. Erneut durchkneten, 3 Stränge formen und zum Zopf flechten. Auf gefettetem Backblech gehenlassen. Mit Eigelb bestreichen und mit Mohn bestreuen. Bei 200 Grad 40 bis 50 Minuten backen.

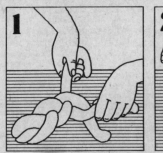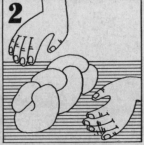

Flûtes

500 g Weizenmehl, 1 Prise Salz, 2 dl Milch, 1 Päckchen Hefe, 1 Teelöffel Zucker

Aus den Zutaten einen geschmeidigen Teig kneten. Warmstellen und gehenlassen. Erneut durchkneten. Zu langen Brotlaiben formen und bei 255 Grad 15 bis 20 Minuten backen.

Mini-Flûtes

450 g Weizenmehl, 1 Teelöffel Salz, 3 dl Wasser,
1 Päckchen Hefe, 1 Teelöffel Zucker

Aus den Zutaten einen sehr geschmeidigen Teig kneten. Warmstellen und gehenlassen. Erneut durchkneten und kleine, lange Brotlaibe formen. Auf gefettetem Backblech noch einmal gehenlassen.
Bei 240 Grad 12 bis 15 Minuten backen.

Baguette (Knüppelbrot)

700 g Weizenmehl, 4 dl Wasser, 1 Prise Salz,
1 Päckchen Hefe, 1 Teel. Zucker

Aus 250 gr. Mehl, Hefe, Zucker und 2 dl. Wasser einen Brei anrühren
und zugedeckt 12 bis 16 Stunden stehenlassen. Zusammen mit dem
restlichen Mehl, Wasser und Salz zu einem geschmeidigen Teig
verarbeiten. Warmstellen und gehenlassen. Erneut durchkneten.
Lange Brotlaibe formen. Auf gefettetem Backblech noch einmal
gehenlassen. Mit Wasser abstreichen. Bei 260 Grad 15 bis 20 Minuten backen. Kurz vor Ende der Backzeit erneut mit Wasser bestreichen.

17

fig. 2

CUPT RIGHT SECURED BROOK NY

Bild-schöne Brote

Bild-schöne Brote

Sie haben doch sicher schon einmal kunstvolle „Werke" aus Brotteig gesehen. Man nennt sie Gebild-Brote. Ihre Ursprünge liegen
im ausgeprägten ägyptischen Toten- und Seelenkult. Zu Bildern ge-
formter Teig – Figuren menschlicher oder tierischer Gestalt,
Sonnen, Räder, Zöpfe, Brezel und ähnliches – wurden als Opfer-
gaben in die Gräber gelegt. Als Scheingaben zur Geisterbe-
schwörung oder als Darstellung der Wünsche, die die Hinter-
bliebenen an die Seelen der Toten übermitteln wollten.

Bis heute sind Gebildbrote von besonderer Symbolik umgeben.
Oft sind es Kunstwerke, die da aus Teigsträngen gerollt, geflochten,
gestipft und gestempelt werden. Als volkstümliche Schöpfung von
hohem Rang sind sie sogar in die Kunstgeschichte eingegangen.

Nach Landschaft und Jahreszeiten unterschiedlich werden bei uns
in Deutschland insgesamt 1500 Sorten Brot und Brötchen gebak-
ken. Schauen Sie sich einmal um. Besonders die Kleingebäcke
tragen interessante Namen. Da gibt es Totenbeinchen und Striezel,
Stutwecken und Reiter. Da werden Hosenbeine, Berches und Stor-
chennester gebacken. Es gibt Armengebäcke, die einst an Fest-
tagen an die Armen der Bevölkerung verteilt wurden - Funken-
küchel und Störibrot gehören dazu. Es gibt auch Gebäck mit histo-
rischer Bedeutung - wie Bismackbrezel, Horaffen, Schwaaner Kuchen und Timpenstuten.

Bubenschenkel und Göbbelchen gehören zu den Kindergebäcken,
Osterbrote zu den Kreuzgebäcken. Seelen- oder Knochenopfer-
gebäcke werden ihrer Form wegen Knaufgebäcke genannt (Dörr-
beinchen, Dürkater, Regensburger Strohsack oder Vierzipf). Es gibt
Liebes-, Luxus- und Märchengebäck, Patensemmeln, Scherz- und
Spielgebäck, Sparbrötchen, Würfelgebäcke und Pfennigmuckerl,
Bosniaken und Laiberl. Und viele, viele mehr. Besonders zahlreich
sind bei uns auch die Brezelsorten – vom Bubenschenkel bis zum
Zuckerkringel.

In anderen Ländern mit einer reichen kulinarischen Tradition sieht es nicht anders aus. Schweden zum Beispiel ist berühmt wegen seiner weihnachtlichen Gebildbrote, die aus einem Safranteig gebacken und mit Rosinen geschmückt werden. Auch wenn Sie die heidnischen oder christlichen Bedeutungen nicht immer kennen, so bringt es Ihnen sicher Spaß, Brotteig bild-schön zu formen. Nicht nur, daß es gut aussieht – so ist Brot auch ein schönes Geschenk.

21

Stuten – hier wird gerollt und geflochten

Grundteig für Gebildbrote

1000g Weizenmehl, 1 Teelöffel Salz, 160 g Fett,
160 g Zucker, 2 Eier, 1 Päckchen Hefe, ⅛ – ¼ l Milch,
Schale einer Zitrone, Sultaninen als Schmuck

Aus den Zutaten einen sehr geschmeidigen, nicht zu weichen
Teig kneten. Warmstellen und gehenlassen. Erneut durchkneten
und zu Strängen formen, aus denen Gebilde gelegt werden. Erneut
gehenlassen und auf einem gefetteten Backblech bei 200-220 Grad
15 bis 40 Minuten (es kommt auf die Dicke der Teigstränge an!)
backen.

Mein Tip: Als Schmuck die Oberfläche
mit Eigelb bestreichen und mit
Rosinen bestecken.

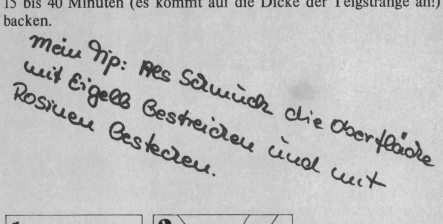

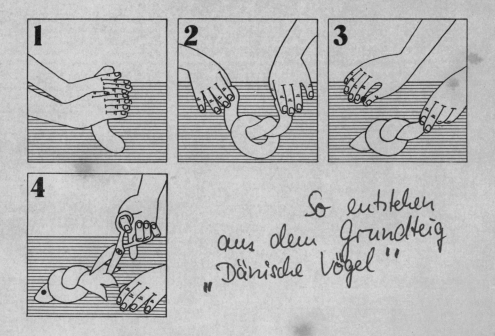

So entstehen aus dem Grundteig „Dänische Vögel"

Sonntagsstuten

500 g Weizenmehl, 1 Prise Salz, ⅛ l Milch, 100 g Fett,
1 Päckchen Hefe, 1 Eßlöffel Zucker, 2 Eier, 4 Eß-
löffel Rosinen

Aus den Zutaten einen geschmeidigen Teig kneten. Warmstellen
und gehenlassen. Erneut durchkneten. Zu einem Laib formen und
nocheinmal gehenlassen. Bei 200 Grad 40 Minuten backen.

Schmeckt Besonders würzig, wenn
die Rosinen über Nacht in
Rum liegen!

23

Bauern-Klöben

500 g Weizenmehl, 1 Prise Salz, 2 dl Milch, 25 g Fett,
1 Päckchen Hefe, 50 g Zucker

Aus den Zutaten einen geschmeidigen Teig kneten. Warmstellen
und gehenlassen. Erneut durchkneten. Zum Laib formen und bei
200 Grad 40 bis 50 Minuten backen.

Mandelstuten *Sonntagsstuten!*

500 g Weizenmehl, 1 Teelöffel Salz, ¼ l Milch, 80 g zer-
lassenes Fett, 1 Päckchen Hefe, 40 g Zucker, 2 Eier,
125 g gehackte Mandeln, 1 Prise Zimt

Aus den Zutaten einen glänzenden, geschmeidigen Teig kneten.
Warmstellen und gehenlassen. Erneut gut durchkneten und zum
Laib formen. Noch einmal gehenlassen und bei 200 Grad 50 bis 60
Minuten backen.

Safranbrot

500 g Weizenmehl, 1 Prise Salz, ¼ l Wasser, 1 Päck-
chen Hefe, 1 Teelöffel Zucker, 2 Eier, 1 Eßlöffel Rum,
2 g Safran

Safran in Rum auflösen und 5 Minuten stehenlassen. Aus den
übrigen Zutaten einen schweren, glänzenden Teig kneten. Rum
und Safran dazugeben, darunterkneten. Warmstellen und gehenlassen. Erneut gut durchkneten. Zum Laib formen und noch einmal
gehenlassen. Bei 200 bis 220 Grad 40 bis 50 Minuten backen.

На здоровe!

Russischer Festtags-Stuten

500 g Weizenmehl, 1 Prise Salz, ⅛ l Milch, 100 g Fett,
1 Päckchen Hefe, 125 g Puderzucker, 1 Päckchen
Vanillezucker, 2 Eigelb, 2 Eßlöffel Rum

Aus den Zutaten einen stark glänzenden, schweren Hefeteig herstellen. Warmstellen und gehenlassen. (Der Teig geht sehr schwer auf und braucht sehr lange Zeit dazu). Erneut gut durchkneten. Zum Laib formen, noch einmal aufgehen lassen, mit Eigelb bestreichen und bei 200 Grad 40 bis 50 Minuten backen.
Dieser Teig eignet sich besonders gut zum Formen schwerer Zöpfe und großer Brezel.

Polnisches Feiertagsbrot

500 g Weizenmehl, 1 Prise Salz, ¾ dl Wasser,
1 Becher Joghurt, 100 g geschmolzene Butter, 1 Päck-
chen Hefe, 90 g Zucker, 3 Eidotter, 25 g Rosinen,
1 Eßlöffel geriebene Zitronenschale, 1 Prise Zimt,
25 g gemahlene Nüsse

Mehl, Salz, Zimt, Zucker, Rosinen, Zitronenschale und Nüsse in eine Schüssel geben und durchrühren. Joghurt und Eidotter vorsichtig darunterheben. Hefe mit dem lauwarmen Wasser aufrühren und dazugeben. Die geschmolzene, abgekühlte Butter vorsichtig unterrühren. Den Teig gut durchschlagen, warmstellen und gehenlassen. Unter Mehlzugabe erneut kneten. Zum Laib formen und noch einmal gehenlassen. Bei 200 bis 220 Grad 40 bis 50 Minuten backen.

Schweizer Brot

500 g Weizenmehl, 1 Prise Salz, ⅛ l Milch, ⅛ l Wasser,
60 g Fett, 1 Päckchen Hefe, 125 g Zucker, 2 Eier
2 Eier

Aus den Zutaten einen schweren, glänzenden Hefeteig kneten. Warmstellen und gehenlassen. Erneut gut durchkneten und zum Brotlaib formen. Noch einmal gehenlassen. Oberfläche mit einem Gemisch aus Puderzucker und Milch bestreichen. Bei 180 bis 200 Grad 40 bis 50 Minuten backen.

Versuchen Sie doch mal den Sechser-Zopf, es ist einfacher, als er aussieht

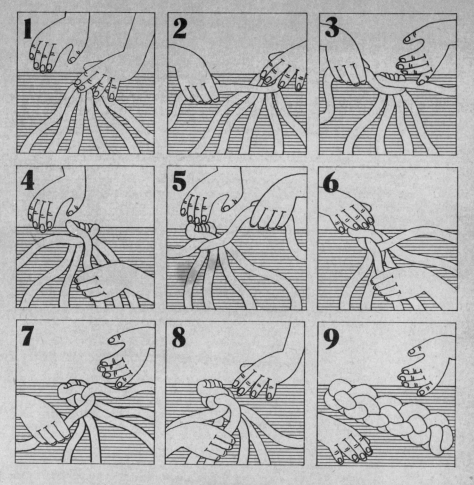

Striezel

400 g Weizenmehl, 1 Prise Salz, 2 dl Milch, 100 g zerlassenes Fett, 1 Päckchen Hefe, 40 g Zucker, 1 Ei, 100 g Rosinen, abgeriebene Schale einer Zitrone

Aus den Zutaten einen schweren, glänzenden Teig kneten. Warmstellen und gehenlassen. Erneut durchkneten. Zu Strängen formen und zum Zopf flechten (wenn möglich zu einem 4er oder 6-er-Zopf). Mit Eigelb bestreichen und auf gefettetem Backblech noch einmal gehenlassen. Bei 200 Grad 40 bis 50 Minuten backen.

Osterknoten

940 g Weizenmehl, 1 Teelöffel Salz, 95 g Fett,
240 g Zucker, 2 Päckchen Hefe, 3 Eier, 9 Eidotter

Aus den Zutaten einen schweren Teig kneten. Warmstellen und
gehenlassen. Erneut gut durchkneten. Zu einem großen Knoten
schlagen, auf gefettetem Backblech noch einmal gehenlassen. Bei
200 bis 220 Grad 50 bis 60 Minuten backen.

Nach dem Backen mit einer Puder-
zucker-Glasur ... bestreichen!
(vorsichtig!)

schmeckt prima und sieht gut aus!

Rosinenzopf

500 g Weizenmehl, 1 Teelöffel Salz, ¼ l Vollmilch,
60 g Fett, 1 Päckchen Hefe, 60 g Zucker, 2 Eier,
200 g Rosinen, 1 Prise Zimt, 1 Prise Muskat

Aus den Zutaten einen glänzenden, schweren Hefeteig kneten.
Warmstellen und gehenlassen. Erneut durchkneten. 3 Rollen formen und zu einem Zopf flechten. Auf gefettetem Backblech gehenlassen, mit Eigelb bestreichen und bei 180 bis 200 Grad 40 bis 45
Minuten backen.

Die Rosinen eine Nacht
in Rum einweichen.

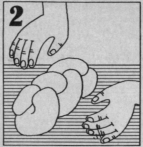

Osterzopf

500 g Weizenmehl, 1 Prise Salz, ¼ l Milch, 80 g Fett,
1 Päckchen Hefe, 100 g Zucker, 2 Eier

Aus den Zutaten einen nicht zu festen Teig kneten. Warmstellen und gehenlassen. Erneut durchkneten. 3 Rollen formen und zu einem Zopf verflechten. Mit Eigelb bestreichen. Auf einem gefetteten Backblech noch einmal gehenlassen. Bei 180 bis 200 Grad 40 bis 50 Minuten backen.

Sahne-Zopf

550 g Weizenmehl, 1 Prise Salz, 2 dl Sahne, 50 g zer-
lassenes Fett, 2 Eier, 1 Eigelb, 1 Päckchen Hefe, 1 Eß-
löffel Zucker

Aus den Zutaten einen schweren, glänzenden Teig kneten. Warmstellen und gehenlassen. Erneut gut durchkneten. Zu Strängen formen und einen Zopf flechten. Mit Eigelb bestreichen und auf einem gefetteten Backblech noch einmal gehenlassen. Bei 200 bis 220 Grad 40 bis 50 Minuten backen.

Hefezopf aus Israel

800 g Weizenmehl, 1 Teelöffel Salz, ¼ l Wasser,
60 g Fett, 2 Päckchen Hefe, 2 Eßlöffel Zucker, 2 Eier

Aus den Zutaten einen elastischen Teig kneten. Warmstellen und gehenlassen. Erneut durchkneten. 3 Stränge formen und einen Zopf flechten, mit Eigelb bestreichen und auf einem gefetteten Backblech gehen lassen. Bei 180 bis 200 Grad 40 bis 50 Minuten backen.

Notizen & weitere Rezepte:

fig. 3   # Die Seele des

Fig. 24. Gegrannter
Kolbenweizen mit
lockerer Aehre.

Fig. 25. Ungegrannter
Kolbenweizen mit
gedrängter Aehre.

Fig. 26. Gegrannter
Kolbenweizen mit
gedrängter Aehre.

Fig. 27. Ungegrannter
Kolbenweizen mit
lockerer Aehre.

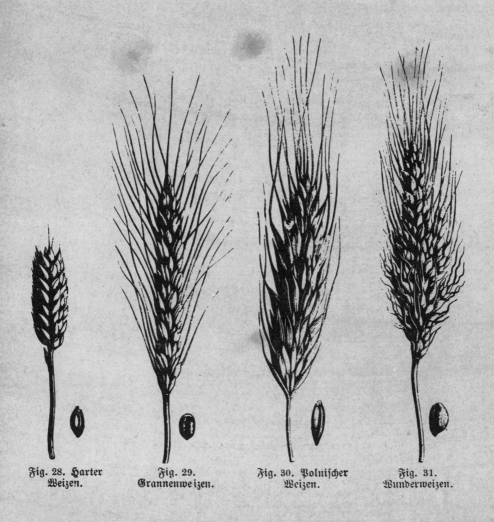

Fig. 28. Harter Weizen.

Fig. 29. Grannenweizen.

Fig. 30. Polnischer Weizen.

Fig. 31. Wunderweizen.

Die Seele des Bäckers liegt in den Fingerspitzen

Verzagen Sie nicht beim Kneten! Lesen Sie, was ich im „Gemein-nützigen Wochenblatt für die Oberämter Canntstadt und Waiblingen" vom 25. September 1830 fand. Es war der Leserbrief eines Bäcker-meisters auf einen Zeitungsartikel, in dem die neumodischen Knet-maschinen sehr gerühmt worden waren: „Gerade beim Kneten hat der Bäcker seine ganze Seele in den Fingerspitzen, im Ballen und in der Höhlung der Hand sitzen. Er fühlt, welche Teile noch zu viel Luft, zu viel Wasser, zu viel Mehl haben, und indem er dieß so richtig fühlt, als ob er es durch eine Brille sähe, macht er den Teig zu jener gleichför-migen Masse, die zu einem guten Brode unerläßlich ist. So lang Maschi-nen auch bei dem vollkommensten Mechanismus gefühllos bleiben müssen, werden sie nie die fühlende Hand, die Bäckerseele ersetzen können.

Ein geschickter Bäcker ist mit 30 Pfund Teig in 5 Minuten fertig. Ich kann versichern, daß der Teig dann gewiß besser geknetet ist als die Maschine es zu tun vermag. 30 Pfund Teig kneten ist eine Spielerei. Jeder gute Arbeiter wird in 11 Minuten 100 Pfund – statt 30 Pfund wie die modernen Maschinen – kneten. Es ist also kein Zeitgewinn bei der Knetmaschine. Daß an Reinlichkeit nichts bei Maschinen ge-wonnen ist, leuchtet ein. Wem vor reiner Menschenhand ekelt, der darf auch keine Brote essen."

Weizenmischbrote – schwere Brote leicht geknetet
Einfaches Mischbrot

500 g Weizenmehl, 500 g Roggenmehl, 1 Teelöffel Salz,
¾ l Wasser, 2 Päckchen Hefe, 1 Teelöffel Zucker

Aus den Zutaten einen nicht zu klebrigen Teig schlagen. Warmstellen und gehenlassen. Unter Mehlzusatz erneut durchkneten und zum Laib formen. Noch einmal gehenlassen und bei 180 bis 200 Grad 60 bis 70 Minuten backen.

Windjammers Weizenbrot

700 g Weizenmehl, 300 g Roggenmehl, 1 Teelöffel Salz,
7 dl Wasser, 1 Päckchen Hefe, 1 Tasse Sauerteig

Aus den Zutaten einen sehr elastischen Teig kneten. Warmstellen und gehenlassen. Erneut durchkneten. Zum Laib formen. Noch einmal gehenlassen und mit viel Wasserdampf bei 200 bis 220 Grad 40 bis 50 Minuten backen.

Isländisches Brot

300 g Weizenmehl, 200 g feines Roggenmehl, 1 Prise
Salz, ¼ l Wasser, 40 g zerlassenes Fett, 1 Päckchen
Hefe, 3 Eßlöffel brauner Rohzucker

Aus den Zutaten einen nicht zu klebrigen Teig schlagen. Warmstellen und gehenlassen. Unter Mehlzugabe erneut durchkneten. Zum Laib formen, noch einmal gehenlassen und bei 200 bis 220 Grad 50 bis 60 Minuten backen.

Ukrainebrot

750 g Weizenmehl, 100 g feines Roggenmehl, 1 Tee-
löffel Salz, 5 dl Wasser, 50 g Fett, 2 Päckchen Hefe,
1 Teelöffel Zucker

Aus den Zutaten einen Hefeteig kneten. Warmstellen und aufgehen lassen. Erneut durchkneten. Zum Laib formen und noch einmal aufgehen lassen. Bei 200 Grad 40 bis 45 Minuten backen.

Pommersches Mischbrot

650 g Weizenmehl, 400 g Roggenmehl, 1 Prise Salz,
½ l Milch, 100 g Fett, 3 Päckchen Hefe, 1 Eßlöffel
Zucker

Aus den Zutaten wird ein ziemlich weicher Hefeteig geschlagen. Er muß an einem warmen Ort zum Gehen ca. 30 Minuten stehenbleiben. Mit etwas Mehlzugabe wird er danach geknetet und zu einem Laib geformt und erneut zum Gehen warmgestellt. Bei 200 bis 220 Grad im vorgeheizten Ofen 40 bis 50 Minuten backen.

Weizenmischbrot mit Joghurt

400 g Weizenmehl, 200 g Grahamsmehl, 1 Teelöffel
Salz, 2 Eßlöffel Wasser, ½ l Joghurt, 3 Eßlöffel Öl,
1 Päckchen Hefe, 1 Teelöffel Zucker, 1 Prise Anis

Mehl und Gewürze in eine Schüssel geben. Wasser, Öl und Joghurt unter ständigem Rühren erwärmen. Hefe darin aufrühren. Unter das Mehlgemisch ziehen, gut durchschlagen. Den etwas klebrigen Teig warmstellen und gehenlassen. Unter Mehlzugabe erneut durchkneten. Zum Laib formen. Bei 200 bis 220 Grad 40 bis 50 Minuten backen.

man kann auch dänischen Ymer nehmen, statt Joghurt. verfeinert die Sache! i.O.

Weizenmischbrot mit Sauerteig

325 g Weizenmehl, 200 g Roggenmehl, 1 Teelöffel Salz,
50 g Fett, ½ Päckchen Hefe, 1 Tasse Sauerteig, 1 Tee-
löffel Zucker

Aus den Zutaten einen nicht zu klebrigen Teig schlagen. Warmstellen und gehenlassen. Unter Mehlzusatz erneut kneten. Zum Laib formen, noch einmal gehenlassen. Mit Wasser bestreichen und mit Weizenkörnern bestreuen. Bei 180 bis 200 Grad 50 bis 60 Minuten backen.

Sauerteig s. Seite 125

Filipponen-Brot

500 g Weizenmehl, 500 g Roggenmehl, 1 Teelöffel Salz, ¾ l Wasser, 1 Päckchen Hefe, 1 Tasse Sauerteig, 1 Teelöffel Zucker

Mehl und Salz in eine Schüssel geben und mit kochendem Wasser überbrühen. Brei anrühren und abkühlen lassen. Hefe und Sauerteig mit Zucker anrühren und zum Brühstück dazugeben. Gut durchkneten, warmstellen und gehenlassen. Erneut durchkneten und zum Laib formen. Noch einmal gehenlassen und bei 180 bis 200 Grad 50 bis 60 Minuten backen.

Süßes Schwedenbrot

500 g Weizenmehl, 500 g feines Roggenmehl, 1 Prise Salz, ½ l Wasser, 2 Päckchen Hefe, 200 g dunkler Rohzucker, 2 Eier

Aus den Zutaten einen festen Hefeteig herstellen. Warmstellen und aufgehen lassen. Erneut durchkneten. Zum Laib formen, noch einmal gehenlassen. Bei 180 bis 200 Grad 40 bis 50 Minuten backen.

Schmalzbrot

250 g Weizenmehl, 250 g feines Roggenmehl, 1 Teelöffel Salz, ¼ l Buttermilch, 100 g Schweineschmalz, 1 Päckchen Hefe, 1 Eßlöffel Zucker, 1 Ei

Aus den Zutaten einen glänzenden Teig kneten. Warmstellen und gehenlassen. Erneut durchkneten und zum Laib formen. Noch einmal gehenlassen und bei 175 bis 200 Grad 40 bis 50 Minuten backen.

Schwedische Limpa

600 g Weizenmehl, 200 g feines Roggenmehl, 1 Teelöffel Salz, 5 dl Wasser, 2 Päckchen Hefe, 1 Teelöffel Zucker, 1 Teelöffel Sirup, 1 Teelöffel Anis, 1 Eßlöffel Fenchel

35

Aus den Zutaten einen Hefeteig kneten. Warmstellen und gehenlassen. Erneut durchkneten und zum Laib formen. Noch einmal gehenlassen und bei ca. 200 Grad 40 bis 45 Minuten backen.

leerplatte und [handwritten note with arrow]

Finnisches Gewürzbrot

Mina rakasta! [handwritten note]

200 g Weizenmehl, 200 g Gerstenmehl, 150 g Reismehl, 1 Prise Salz, ¼ l Buttermilch, ¼ l Wasser, 1 Päckchen Hefe, 1 Teelöffel Zucker, ½ Teelöffel Anis-Puder, ½ Teelöffel Fenchel (zerstoßen), 1 Teelöffel Kümmel

Aus den Zutaten einen nicht zu klebrigen Teig schlagen. Warmstellen und gehenlassen. Unter Mehlzugabe erneut durchkneten. Zum Laib formen. Noch einmal gehenlassen. Bei 200 bis 220 Grad 40 bis 50 Minuten backen.

Finnisch heißt das Brot: MAUSTETTU HIIVALEIPÄ [handwritten note]

Grahams-Brot

400 g Weizenmehl, 450 g Grahamsmehl, 1 Prise Salz, 6 ½ dl Milch, 3 dl. Öl, 1 Päckchen Hefe

Aus den Zutaten einen Hefeteig bereiten, warmstellen und gehenlassen, erneut durchkneten, bis der Teig geschmeidig ist. Zum Brotlaib formen und erneut gehenlassen. Im vorgeheizten Ofen bei 190 bis 200 Grad 40 bis 50 Minuten backen.

Baltisches Brot

600 g Weizenmehl, 300 g Roggenmehl, 1 Teelöffel Salz, 2 dl Wasser, 2 Päckchen Hefe, 1 Teelöffel Zucker, 1 Teelöffel gemahlener Anis, 1 Teelöffel Kardamom, 4 Eßlöffel Sirup

Aus den Zutaten einen sehr klebrigen Teig schlagen. Warmstellen und gehenlassen. Unter Mehlzugabe erneut durchkneten. Zum Laib formen und noch einmal gehenlassen. Bei 200 Grad 50 bis 60 Minuten backen.

Kümmelbrot

300 g Weizenmehl, 200 g grobes Roggenmehl, 1 Prise Salz, 3 dl. Wasser, 1 Päckchen Hefe, 1 Teelöffel Zucker, 1 Teelöffel zerstoßener Kümmel, 1 Eßlöffel Kümmel zum Bestreuen

Aus den Zutaten einen nicht zu klebrigen Teig schlagen. Warmstellen und gehenlassen. Unter Mehlzugabe erneut durcharbeiten. Zum Laib formen und noch einmal gehenlassen. Bei 200 bis 220 Grad 40 bis 50 Minuten backen. Mit schwarzem Kaffee abpinseln und mit ganzem Kümmel bestreuen.

Russisches Landbrot

650 g Weizenmehl, 200 g Vollkornmehl, 1 Teelöffel Salz, 1 Päckchen Hefe, 1 Teelöffel Zucker, 40 g Fett, 5 dl Wasser

Aus den Zutaten einen sehr geschmeidigen Hefeteig kneten. Warmstellen und gehenlassen. Noch einmal gut durchkneten und zum Laib formen. Erneut gehenlassen und bei 180 bis 200 Grad 50 bis 60 Minuten backen.

Pulla

600 g Weizenmehl, 200 g feines Roggenmehl, 1 Prise Salz, ¼ l Milch, 125 g Fett, 1 Päckchen Hefe, 100 g brauner Rohzucker, 2 Eier, 1 Teelöffel Kardamom, 125 g Rosinen

Aus den Zutaten einen geschmeidigen Teig kneten. Warmstellen und gehenlassen. Unter Mehlzugabe erneut durcharbeiten. Zum Laib formen und noch einmal gehenlassen. Bei 200 bis 220 Grad 40 bis 50 Minuten backen.

Die Oberfläche mit Ei bestreichen und mit dunklem Zucker bestreuen.

37

Norwegisches Brot

*250 g Weizenmehl, 250 g Roggenmehl, 1 Teelöffel Salz,
⅛ l Wasser, 40 g Fett, 1 Päckchen Hefe, 125 g brauner
Rohzucker*

Aus den Zutaten einen nicht zu klebrigen Teig schlagen. Warmstellen und gehenlassen. Unter Mehlzugabe erneut durchkneten.
Brotlaib formen und noch einmal gehenlassen. Bei 180 bis 200 Grad
40 bis 50 Minuten backen.

Buttermilchbrot

Besonders für ein Kater frühstück

*500 g Weizenmehl, 500 g Roggenmehl, 1 Teelöffel
Salz, ¼ l Vollmilch, ½ l Buttermilch, 2 Eßlöffel Sa-
go, 2 Päckchen Hefe, 1 Teelöffel Zucker*

Aus den Zutaten einen geschmeidigen Teig kneten. Warmstellen
und gehenlassen. Erneut durchkneten. Zum Laib formen und noch
einmal gehenlassen. Bei 200 Grad 40 bis 50 Minuten backen.

Bierbrot

für Kari!

*500 g Weizenmehl, 500 g Roggenmehl, 1 Teelöffel
Salz, ½ l helles Bier, ¼ l Wasser, 2 Päckchen Hefe,
1 Teelöffel Zucker*

Aus den Zutaten einen nicht zu klebrigen Teig schlagen. Warmstellen und gehenlassen. Unter Mehlzugabe erneut durchkneten und
zum Laib formen. Oberfläche tief einkerben und mit Bier abstreichen. Noch einmal gehenlassen. Bei 180 bis 200 Grad 60 bis 70
Minuten backen.

Süßes Backblech-Brot

*500 g Weizenmehl, 300 g feines Roggenmehl,
1 Teelöffel Salz, 5 dl. Milch, 2 Päckchen Hefe, 2 Eßlöffel Sirup, 1 Eßlöffel Fenchel, 1 Eßlöffel Anis*

Aus den Zutaten einen sehr klebrigen Teig schlagen. Gehenlassen.
Auf einem gefetteten Backblech ausstreichen, erneut gehenlassen.
Bei 225 Grad 15 Minuten backen. In gleichmäßige Stücke schneiden
und auf einem Kuchengitter auskühlen lassen.

Bauernbrot mit Kleie

*400 g Weizenmehl, 450 g Grahamsmehl, 50 g Weizen-
keime, 50 g Weizenkleie, 1 Teelöffel Salz, 25 g Fett,
5 dl Wasser, 2 Päckchen Hefe, 1 Teelöffel Zucker,
1 Eßlöffel Fenchel*

Aus den Zutaten einen nicht zu klebrigen Teig schlagen. Warmstellen und gehenlassen. Unter Mehlzugabe erneut durcharbeiten
und zum Laib formen. Auf gefettetem Backblech noch einmal
gehenlassen. Mit schwarzem Kaffee bestreichen und mit Kümmel
bestreuen. Bei 200 bis 220 Grad 50 bis 60 Minuten backen.

Schwedisches Lochbrot

*500 g Weizenmehl, 500 g Roggenmehl, 1 Teelöffel
Salz, 2 Eßlöffel Schweineschmalz, 2 Eßlöffel dunk-
ler Sirup, 1 Teelöffel Fenchel, 2 Päckchen Hefe, 3 dl
Wasser*

Aus den Zutaten wird ein sehr fester Teig geknetet. Warmstellen und
gehenlassen. Nach erneutem Kneten rollt man den Teig aus und
sticht große Kreise aus. In die Mitte dieser Kreise wird ein Loch von
ca. 3 cm Durchmesser ausgestochen. Diese Ringe müssen auf einem
gefetteten Backblech erneut gehen und dann bei 180 Grad 20 bis 30
Minuten gebacken werden.

*Lochbrot auf einem Band oder Stange
ist lustig zu Parties.*

fig. 4   Die Ä

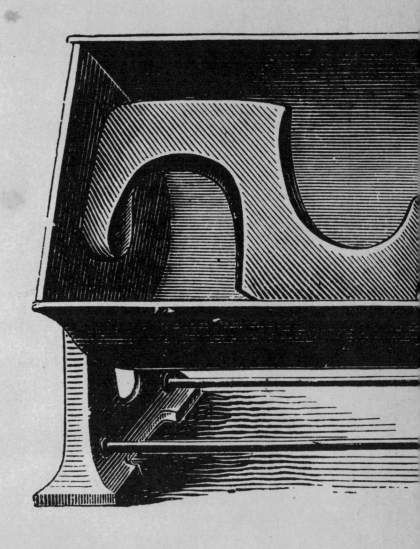

Die Ägypter erfanden den „faulen Teig"

Es gibt nicht nur die „Erfinder" des Brotes – das einst mehr einem Brei glich. – Es gibt die viel wichtigere „Erfindung" des Sauerteigs. Denn erst der „faule" Teig machte aus den Fladen richtige Laiber: „Alle Menschen haben Furcht vor dem Faulen von Speisen. Die Ägpter aber stellen den Brotteig auf, daß er faulen muß." Sagte Herodot 450 v. Chr. Und damit schüttelte er sein Haupt über etwas, das später fast zur Wissenschaft geriet. Den Sauerteig. Den Ägyptern gelang es durch einen Zufall, Sauerteig zu „erfinden". Ein stehengebliebener Teig war gefault, sauer geworden. Man verbuk ihn dennoch und erhielt zum Erstaunen aller nicht die gewohnten harten Fladen, sondern wohlriechende, ungewohnt schmeckende Brote. Bekömmlicher war dieses neue „Brot" auch noch. Von Stund an überließ man die Sauerteiggärung nicht mehr dem Zufall. Und man trug die Kunde neuer Rezepturen auch in andere Länder.

So erlernten auch die Juden das Brotbacken von den Ägyptern. Nur auf ihrer großen Flucht fehlte es an Sauerteig. Deshalb darf noch heute in der Passahwoche – zur Erinnerung an die geglückte Flucht – kein gesäuertes Brot gegessen werden. Das „Brot des Elends" ist ein ungegorener Teig ohne Öl, Butter und Salz. Auf den Altartisch darf zu keiner Zeit gesäuertes Brot gelegt werden. Letztlich entsprechen auch die Oblaten des christlichen Abendmahls ungegorenen Fladen.

Die Sauerteigbrote der Griechen umgab ein Hauch von Alkohol. Sie waren so kostbar, daß sie nur an Fest- und Feiertagen und nur besonders verdienten Männern gereicht werden durften. Wen wundert's – waren sie doch nach der Weinlese mit Most gesäuert!

Derartige Teig-Gärungen können Sie auch im eigenen Haushalt ausprobieren. Zwar gibt es zahlreiche erfahrene, gelernte Bäckermeister, die den Hausfrauen ein „Hände weg vom Sauerteig!" zurufen. Aber glauben Sie mir, mit Sorgfalt und Übung gelingt es auch der Hausbäckerin, auf ägyptischen und griechischen Spuren zu wandeln.

Sauerteig – s. Seite 125

Roggenbrote – säuern lassen, nicht sauer werden

Schnelles Roggenbrot

*250 g Weizenmehl, 500 g grobes Roggenmehl,
1 Prise Salz, 4 dl. Buttermilch, 3 Päckchen Hefe,
1 Eßlöffel Zucker, 1 Teelöffel Fenchel, 1 Eßlöffel
Kümmel, 2 Eßlöffel Honig*

Aus den Zutaten einen nicht zu klebrigen Teig schlagen. Warmstellen und gehenlassen. Unter Mehlzugabe erneut durcharbeiten und zum Laib formen. Noch einmal gehenlassen und bei 200 bis 220 Grad 50 bis 60 Minuten backen.

Roggen-Mischbrot mit Sirup

*650 g Weizenmehl, 650 g Roggenmehl, 1 Prise
Salz, 8 dl Wasser, 2 Päckchen Hefe, 1 Tasse Sauerteig, 2 ½ Eßlöffel Sirup*

Sirup in lauwarmem Wasser auflösen. Hefe darin aufrühren. Mehl, Salz, den Sauerteig und die angerührte Mischung in eine Schüssel geben und gut durchschlagen. Der Teig ist sehr klebrig und läßt sich zunächst nicht zu einem Kloß formen. Er muß an einem lauwarmen Ort etwa 30 Minuten aufgehen, bis er die doppelte Höhe erreicht hat. Mit etwas Mehlzugabe wird der Teig erneut durchgeknetet, zu Brotlaiben geformt und erneut zum Gehen warmgestellt. Im vorgeheizten Ofen backt man das Brot bei 225 Grad 50 bis 60 Minuten.

Gedämpftes Brot

*300 g Weizenmehl, 400 g grobes Roggenmehl,
400 g feines Roggenmehl, 1 Teelöffel Salz, 5 dl.
Wasser, 3 Päckchen Hefe, 4 Eßlöffel Sirup*

Aus den Zutaten einen geschmeidigen Teig kneten. Warmstellen und gehenlassen. Noch einmal gut durchkneten und zu einem großen runden Laib formen. In Alufolie schlagen und bei 225 Grad 2 ¼ bis 2 ½ Stunden im Wasserbad garen. Dazu schiebt man die Fettpfanne des Backofens mit Wasser gefüllt ein und legt den Brotlaib hinein.

Roggenmischbrot mit Hefe

*125 g Weizenmehl, 500 g Roggenmehl, 1 Teelöffel
Salz, 3 dl Wasser, 2 Päckchen Hefe, 1 Teelöffel
Zucker*

Aus den Zutaten einen nicht zu klebrigen Teig schlagen. Warmstellen und gehenlassen. Erneut unter Mehlzusatz durcharbeiten und zum Laib formen. Noch einmal gehenlassen und bei 180 bis 200 Grad 60 bis 70 Minuten backen.

Mischbrot mit Sauerteig

*600 g Weizenmehl, 600 g Roggenmehl, 1 Teelöffel
Salz, ½ l Wasser, 1 Päckchen Hefe, 1 Tasse Sauerteig, 1 Teelöffel Zucker*

Aus den Zutaten einen nicht zu klebrigen Teig schlagen. Warmstellen und gehenlassen. Unter Mehlzusatz erneut durchkneten und zum Laib formen. Noch einmal gehenlassen. Bei 200 bis 220 Grad 40 bis 50 Minuten backen.

Schwedisches Brühbrot

*100 g Weizenmehl, 800 g feines Roggenmehl,
6 dl Wasser, 1 Prise Salz, 2 Päckchen Hefe, 1 Teelöffel Zucker*

400 g Roggenmehl in eine Schüssel geben und mit 5 dl kochendem Wasser überbrühen. Zum Brei verrühren und abkühlen lassen. Zusammen mit den übrigen Zutaten zu einem nicht zu klebrigen Teig kneten. Warmstellen und gehenlassen. Erneut gut durchkneten und zum Laib formen. Auf gefettetem Backblech noch einmal gehenlassen. Bei 175 Grad 60 bis 70 Minuten backen.

Henriette Davidis Brühbrot

750 g   Roggenmehl, 1 Teelöffel Salz, ½ l Wasser,
1 Päckchen Hefe, 1 Tasse Sauerteig, 1 Teelöffel
Zucker

Das Mehl mit dem Salz in eine Schüssel geben und mit kochendem
Wasser übergießen. Zum Brei verrühren und abkühlen lassen.
Sauerteig und Hefe mit Zucker aufrühren und zu dem lauwarmen
Brühstück geben. Gut durchkneten, warmstellen und gehenlassen.
Erneut durchkneten, zum Laib formen und noch einmal gehen-
lassen. Bei 200 bis 220 Grad 40 bis 50 Minuten backen.

Grobes Roggenbrot

500 g   Weizenmehl, 500 g grobes Roggenmehl,
1 Teelöffel Salz, 50 g Fett, 6 dl Wasser, 2 Päckchen
Hefe, 1 Tasse Sauerteig, 4 Eßlöffel Sirup, 1 Eßlöffel
Essigessenz, 2 Eßlöffel Kümmel, 1 Prise Anis,
1 Prise Fenchel

Aus den Zutaten einen nicht zu klebrigen Teig schlagen. Warmstellen und gehenlassen. Unter Mehlzugabe erneut durcharbeiten.
Zu einem Laib formen. Die Oberfläche gut einkerben. In einer gefetteten Kastenform noch einmal gehenlassen. Bei 175 bis 180 Grad
60 bis 70 Minuten backen.

Sesambrot   *hat Ali Baba gegessen*

250 g   Weizenmehl, 500 g Roggenmehl, 1 Tee-
löffel Salz, 1 Eßlöffel Sesamwürze, ½ Liter Milch,
140 gr. Fett, 2 Päckchen Hefe, 4 Eßlöffel geröstete
Sesamkörner

Aus den Zutaten einen nicht zu klebrigen Teig herstellen. Warmstellen und gehenlassen. Unter Mehlzugabe erneut durchkneten.
Zum Laib formen. Oberfläche einkerben, mit Milch bestreichen und
mit Sesamkörnern bestreuen. Noch einmal gehenlassen. Bei 200
Grad 40 bis 50 Minuten backen.

Leinsamenbrot der Gorch Fock

300 g Weizenmehl, 700 g grobes Roggenmehl,
1 Teelöffel Salz, 7 dl Wasser, 100 g Leinsamen,
1 Päckchen Hefe, 1 Tasse Sauerteig

Leinsamen in kochendem Wasser abbrühen und abkühlen lassen. Zusammen mit den übrigen Zutaten zu einem nicht zu klebrigen Teig schlagen. Warmstellen und gehenlassen (der Teig braucht sehr lange zum Aufgehen). Unter Mehlzugabe erneut durcharbeiten. Zum Laib formen und noch einmal gehenlassen. Bei 180 bis 200 Grad 50 bis 60 Minuten backen.

Kümmelkranz

500 g feines Roggenmehl, 1 Teelöffel Salz, ¼ l Milch,
50 g Fett, 1 Päckchen Hefe, 1 Teelöffel Zucker, 1 Ei,
1 Tasse Sauerteig, Kümmel zum Bestreuen

Aus den Zutaten einen geschmeidigen Teig herstellen. Warmstellen und gehenlassen. Erneut durchkneten. Zwei gleichmäßige Rollen formen und spiralförmig verschlingen. Auf einem gefetteten Backblech zu einem Kranz legen und erneut gehenlassen. Mit Eigelb bestreichen und mit Kümmel bestreuen. Bei 200 bis 220 Grad 40 - 50 Minuten backen.

Rahmbrot

250 g Weizenmehl, 500 g Roggenmehl, 1 Prise
Salz, ¼ l süße Sahne, ¼ l Buttermilch, 2 Päckchen
Hefe, 1 Teelöffel Zucker, 2 Eier

Aus den Zutaten einen schweren, glänzenden Teig kneten. Warmstellen und gehenlassen (der Teig geht sehr schwer und braucht sehr lange). Erneut gut durchkneten. Zum Laib formen und noch einmal gehenlassen. Bei 180 bis 200 Grad 40 bis 50 Minuten backen.

Die Oberfläche mit Eigelb bestreichen, sieht besonders gut aus!

Malzbierbrot

*500 g Weizenmehl, 500 g feines Roggenmehl,
1 Teelöffel Salz, 100 g Fett, ½ Flasche Malzbier,
½ Flasche Pilsener Bier, 1 Päckchen Hefe, 1 Teelöffel Zucker, 1 Tasse Sauerteig*

Aus den Zutaten sehr vorsichtig einen geschmeidigen Teig arbeiten. Warmstellen und gehenlassen. Erneut gut durchkneten.
Zu einem Laib formen und auf einem gefetteten Backblech noch
einmal gehenlassen. Die Oberfläche mit Malzbier abstreichen. Bei
200 Grad 40 bis 60 Minuten backen.

Ein Tip: In Schweden backt man häufig in dieses Brot feingehackte
oder geriebene Apfelsinenschalen oder Rosinen hinein, oder man
würzt es mit Nelken, Anis oder Fenchel.

Grobes Landbrot

*125 g Weizenmehl, 125 g grobes Roggenmehl, 250 g
Grahamsmehl, 1 Teelöffel Salz, 3 dl Wasser,
1 Päckchen Hefe, 1 Tasse Sauerteig*

Aus den Zutaten einen Teig herstellen, der etwas klebrig ist.
Warmstellen und gehenlassen. Unter Mehlzugabe erneut kneten.
Zum Brotlaib formen, noch einmal gehenlassen. Bei 200 bis 220
Grad 40 bis 50 Minuten backen.

Französisches Bauernbrot

*600 g Weizenmehl, 125 g grobes Roggenmehl, 125 g
Vollkornmehl, 1 Teelöffel Salz, 1 Päckchen Hefe,
1 Teelöffel Zucker, 1 Tasse Sauerteig, 5 dl Wasser*

Aus den Zutaten einen ziemlich klebrigen Teig schlagen. Warmstellen und gehenlassen. Unter Mehlzugabe erneut durchkneten
und zum Laib formen. Noch einmal gehenlassen. Bei 200 - 220
Grad 40 bis 50 Minuten backen.

Vollkornbrot mit Joghurt

500 g Weizenmehl, 250 g feines Roggenmehl, 250 g
Vollkornmehl, 1 Teelöffel Salz, ½ l Joghurt, 50 g
Hefe, 1 Teelöffel Zucker, 2 dl Wasser

Aus den Zutaten einen sehr klebrigen Teig schlagen. Warmstellen
und gehenlassen. Unter Mehlzugabe erneut durchkneten und zum
Laib formen. Noch einmal gehenlassen. Bei 220 - 225 Grad 40 bis 50
Minuten backen.

Georgisches Vollkornbrot

250 g Vollkornmehl, 250 g Grahamsmehl, 1 Prise
Salz, ½ l Wasser, 1 Eßlöffel Öl, 1 Päckchen Hefe,
1 Tasse Sauerteig, 1 Teelöffel Zucker

Aus den Zutaten einen nicht zu klebrigen Teig schlagen. Warmstellen und gehenlassen. Unter Mehlzugabe noch einmal durchkneten. Zum Brotlaib formen. Erneut gehenlassen. Bei 200 bis 220
Grad 40 bis 50 Minuten backen.

Vollkornbrot mit Buttermilch

240 g Weizenmehl, 300 g Vollkornmehl, 1 Teelöffel
Salz, 1 ½ dl Buttermilch, 1 ½ dl Wasser, 25 g Fett,
1 Päckchen Hefe, 1 Tasse Sauerteig

Aus den Zutaten einen nicht zu festen Hefeteig schlagen. Warmstellen und gehenlassen. Unter Mehlzugabe erneut durchkneten.
Zum Laib formen und noch einmal gehenlassen. Bei 200 Grad 40 bis
50 Minuten backen.

Grobes Bornholmer Brot

225 g Weizenmehl, 125 g Grahamsmehl, 125 g Roggenmehl, 275 g Vollkornmehl, 1 Teelöffel Salz, 2 Päckchen Hefe, 1 Teelöffel Zucker, 4 dl Wasser

Aus den Zutaten einen sehr klebrigen Teig schlagen. Warmstellen und gehenlassen. Unter Mehlzugabe erneut durchkneten und zum Laib formen. Noch einmal gehenlassen. Bei 220 bis 230 Grad 40 bis 50 Minuten backen. *Hab ich in Rønne gegessen, herlich!*

Mischbrot mit Sirup

500 g Weizenmehl, 300 g feines Roggenmehl, 350 g Grahamsmehl, 1 Teelöffel Salz, 6 dl Milch, 1 dl Sirup, 2 Päckchen Hefe, 1 Tasse Sauerteig

Aus den Zutaten einen Hefeteig zubereiten, der ziemlich klebrig wird. Er muß gut durchgeschlagen werden. Warmstellen und gehenlassen. Unter Mehlzugabe erneut durchkneten und zum Laib formen. Noch einmal warmstellen und gehenlassen. Bei etwa 200 Grad 40 bis 50 Minuten backen.

Gotlandsbrot

Smaklig måltid!

500 g Weizenmehl, 1 Prise Salz, 500 g feines Roggenmehl, 8 dl Wasser, 1 ½ Eßlöffel Weinessig, 1 Prise Salz, 3 Eßlöffel Sirup, 1 Päckchen Hefe, 1 Tasse Sauerteig, abgeriebene Schale von 2 Apfelsinen, ½ Teelöffel Anispulver

Aus den Zutaten einen nicht zu klebrigen Teig schlagen. Warmstellen und gehenlassen. Unter Mehlzugabe erneut durcharbeiten. Zu einem großen runden Laib formen und auf einem gefetteten Backblech noch einmal gehenlassen, die Oberfläche mit Sirup abpinseln. Bei 200 bis 220 Grad 40 bis 50 Minuten backen.

fig. 5

N

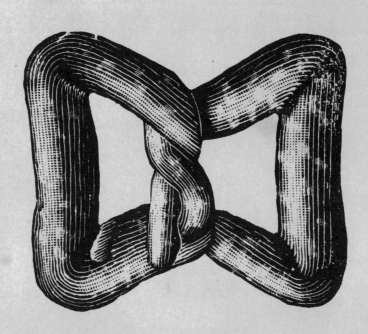

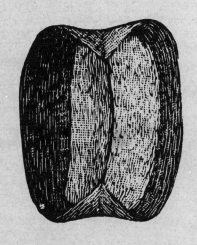

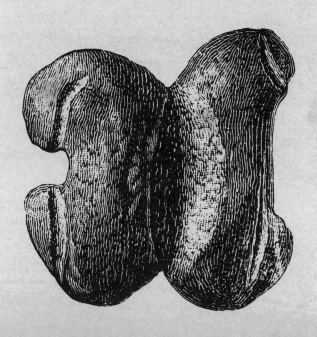

Nicht nur „kleine Brötchen backen"

Nicht nur die Bibel ist eine unerschöpfliche Quelle für Brot-Zitate. Achten Sie doch auch einmal auf Ihre eigene Alltagssprache. Sie werden erstaunt sein, wieviele „brötliche" Redewendungen Sie verwenden.

Man „verdient seine Brötchen hart" und erntet „kleine Brötchen" statt kräftigender Brotlaiber, hat dann keinen „Brotherren", sondern nur einen „Brötchengeber". Aus Erwerbsgründen macht man ein „Brotstudium", Bier nennt man auch „flüssiges Brot" und notfalls kommt man „mit Wasser und Brot durch alle Not". Natürlich „macht Brot die Wangen rot". Und will man es mit den Dichtern und Denkern halten, so muß man häufig „den Brotkorb höher hängen" (einst lag Brot in Körben, die von der Decke herabhingen). In Emilia Galotti geht „Kunst nach Brot", in Wilhelm Meisters Lehrjahren finden wir „Wer nie sein Brot mit Tränen aß". Schiller schuf den „Brotgelehrten", Rousseau den „Broterwerb".

Im Anfang aber war nicht das Wort „Brot" (oder Brötchen), sondern, der „Laib". Dieses Wort hat einen germanischen Ursprung, eigentlich bezeichnete es den ungesäuerten Fladen. In den englischen Worten „Lord" (Brotwart, Herr) und Lady (Brotkneterin, Herrin) lebt es fort. Brot wurde später erst die Bezeichnung für gesäuertes Gebäck – leicht ist die Verwandschaft mit dem Wort „brauen" (gären) und „brodeln" zu erkennen.

s.h. auch Backpulverbrötchen!

Brötchen – Muffins, Brioches, Rolls & Co.
Gerollte Brötchen

500 g Weizenmehl, 1 Prise Salz, 2 dl Milch, 1 Päck-chen Hefe, 1 Teelöffel Zucker, 50 g Fett

Aus den Zutaten einen geschmeidigen Teig kneten. Warmstellen und gehenlassen. Erneut durchkneten. Kleine Stränge formen, ausrollen und wie Rouladen aufrollen. Auf gefettetem Backblech erneut gehenlassen. Mit der Gabel einstechen. Mit Ei bestreichen und mit Mohn bestreuen. Bei 200 bis 220 Grad 15 bis 20 Minuten backen.

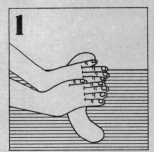 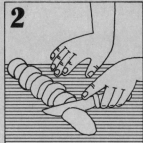 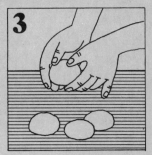

Hot-Cross-Buns

450 g Weizenmehl, 1 Prise Salz, ⅛ l Milch, 2 Eier,
60 g zerlassenes Fett, 1 Päckchen Hefe, 30 g Zucker,
1 Teelöffel Zimt, 125 g Rosinen

Aus den Zutaten einen geschmeidigen Teig kneten. Warmstellen und gehenlassen. Erneut durchkneten und Brötchen rollen. Kreuzweise einschneiden und kleine Röllchen aus demselben Teig in die Kerben hineinlegen. Auf gefettetem Backblech erneut gehenlassen. Mit Eigelb bestreichen und bei 200 bis 220 Grad 15 bis 20 Minuten backen.

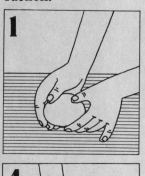
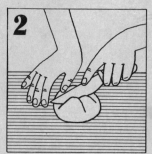
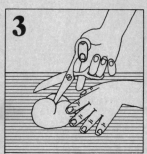

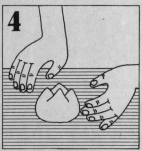

Dänische Hörnchen

*420 g Weizenmehl, 1 Prise Salz, 2 ½ dl Milch, 50 g
Fett, 1 Päckchen Hefe, 1 Teelöffel Zucker*

Aus den Zutaten einen festen Teig kneten. Warmstellen und gehenlassen. Erneut durchkneten. In kleinen Mengen ausrollen. Dreiecke
schneiden und zu Hörnchen aufrollen. Auf gefettetem Backblech
erneut gehenlassen, mit Eigelb bestreichen und bei 200 Grad 25 bis
30 Minuten backen.

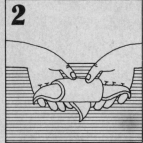
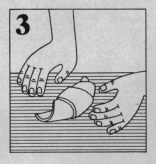

Amerikanische Kleeblattbrötchen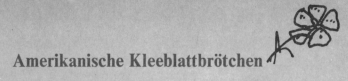

400 g Weizenmehl, 1 Prise Salz, ¼ l Milch, 60 g Fett, 1 Päckchen Hefe, 1 Teelöffel Zucker

Aus den Zutaten einen elastischen Hefeteig kneten. Warmstellen und gehenlassen. Erneut durchkneten. Zu kleinen Bällchen rollen, von denen man jeweils 3 zusammen in einem Loch einer gefetteten Brötchenform anordnet. Erneut gehenlassen und bei 225 Grad 15 bis 20 Minuten backen.

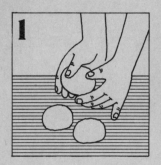 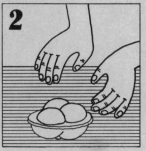

Weizenknöpfe

400 g Weizenmehl, 1 Prise Salz, 2 dl Wasser,
1 Päckchen Hefe, 1 Teelöffel Zucker, 1 Ei

Aus den Zutaten einen geschmeidigen Teig kneten. Warmstellen und gehenlassen. Erneut durchkneten. Mittelgroße Kugeln formen. Dicht beieinander in eine gefettete Back- oder Fettpfanne setzen. Erneut gehenlassen. Die Oberfläche mit Milch bestreichen. Bei 225 Grad 15 bis 20 Minuten im Ofen backen.

 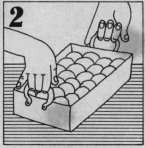

God Jul alla vänner!

Schwedische Safranbrötchen

*500 g Weizenmehl, 1 Prise Salz, ¼ l Milch, 100 g
Fett, 1 Päckchen Hefe, 1 g Safran, 125 g Rosinen,
1 Ei*

Aus den Zutaten einen geschmeidigen Teig kneten. Warmstellen
und gehenlassen. Erneut durchkneten. 2 bis 3 cm dicke Rollen formen, die zu Schnecken oder Kreuzen oder Brezeln (s. Abbildung)
geformt werden. Auf gefettetem Backblech erneut gehenlassen.
Mit Eigelb bestreichen und bei 180 bis 200 Grad 15 bis 20 Minuten
backen.

*In Schweden gibt es Safranbrot vor
allem zu Weihnachten.
Es werden zum Schmuck möglichst
viele Rosinen oben aufgesteckt.*

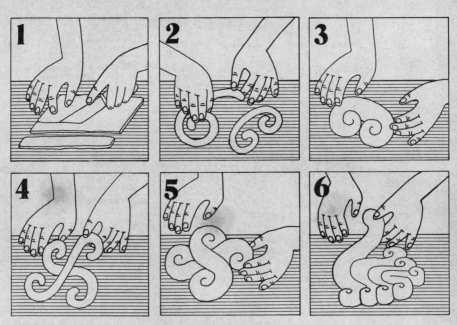

Rolls

500 g Weizenmehl, 1 Prise Salz, ¼ l Milch, 25 g
Fett, 1 Päckchen Hefe, 1 Teelöffel Zucker

Das Fett flüssig werden lassen und abkühlen. Zusammen mit den übrigen Zutaten zu einem geschmeidigen Teig kneten. Warmstellen und gehenlassen. Erneut gut durcharbeiten und zu runden oder länglichen Brötchen formen. Auf gefettetem Backblech noch einmal gehenlassen. Bei 220 bis 225 Grad 15 bis 20 Minuten backen.

Die schmecken besonders zu
Würstchen und Hamburgers.

Muffins

500 g Weizenmehl, 1 Prise Salz, ¼ l Milch, 50 g
Fett, 1 Päckchen Hefe, 1 Teelöffel Zucker

Aus den Zutaten einen geschmeidigen Teig kneten. Warmstellen und gehenlassen. Erneut durchkneten. Flache Brötchen formen und auf einem gefetteten Backblech noch einmal gehenlassen. Bei 180 bis 200 Grad 15 bis 20 Minuten backen. Nach der halben Backzeit dreht man sie um. Muffins werden lauwarm gegessen. Man schneidet sie vor dem Servieren an und gibt ein Stück Butter in die Mitte.

Brioches

700 g Weizenmehl, 1 Prise Salz, ¼ l Milch, 250 g Fett,
1 Päckchen Hefe, 25 g Zucker, 3 Eier

Aus den Zutaten einen schweren, glänzenden Teig kneten. Warm-
stellen und gehenlassen. Unter Mehlzugabe erneut durchkneten.
Kugeln formen. Auf ein gefettetes Backblech legen und oben
Vertiefungen eindrücken. Dahinein werden wesentlich kleinere
Kugeln aus demselben Teig gesetzt. Mit Eigelb bestreichen und
erneut gehenlassen. Bei 200 bis 220 Grad 15 bis 20 Minuten backen.

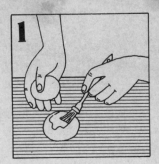 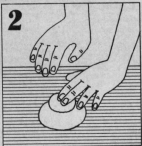

Dampfbrötchen

500 g Weizenmehl, 1 Prise Salz, ⅛ l Milch, ⅛ l
Wasser, 10 g Fett, 1 Päckchen Hefe, 1 Teelöffel
Zucker

Aus den Zutaten einen elastischen Teig kneten. Warmstellen und
gehenlassen. Erneut durchkneten. Brötchen formen und auf ein gefettetes Blech setzen. Erneut gehenlassen. Oberfläche einschneiden
und mit Fett bestreichen. Beim Einschieben in den vorgeheizten
Ofen ⅛ Liter kochendes Wasser in den Ofen gießen und die Tür
schnell schließen. Nach 5 Minuten denselben Vorgang wiederholen.
Bei 225 Grad 15 bis 20 Minuten backen.

Gewürzbrötchen

*500 g Weizenmehl, 1 Prise Salz, ¼ l Milch, 60 g Fett,
1 Päckchen Hefe, 60 g Zucker, 1 Ei, 1 Prise Zimt,
1 Prise Muskat, 125 g Rosinen, 30 g Zitronat*

Aus den Zutaten einen elastischen Teig kneten. Warmstellen und
gehenlassen. Erneut durchkneten und Brötchen formen. Oberfläche einschneiden und mit Milch bestreichen. Auf gefettetem
Backblech oder in der Brötchenform noch einmal gehenlassen.
Bei 180 bis 200 Grad 15 bis 20 Minuten backen.

Großmutters Ostersemmeln

*500 g Weizenmehl, 1 Prise Salz, ¼ l Milch, 1 Eß-
löffel Wein, 2 Eßlöffel Zucker, 70 g Fett, 4 Eier,
1 Prise Muskat, ½ Teelöffel Zimt, 1 Prise Kardamom, 1 g Safran, Schale einer Apfelsine, 1 Teelöffel Rosenwasser, 125 g Korinthen, 1 Päckchen
Hefe*

Aus den Zutaten einen sehr geschmeidigen Teig kneten. Dabei
werden zuerst nur die Eidotter, als letztes das zu Schaum ge-
schlagene Eiweiß vorsichtig untergearbeitet. Warmstellen und
gehenlassen. Erneut durchkneten. Zu Brötchen rollen. Mit Eigelb
bestreichen und mit Hagelzucker bestreuen. Bei 200 bis 220 Grad
15 bis 20 Minuten backen.

Quarkbrötchen

*500 g Weizenmehl, 1 Prise Salz, 2 dl Milch, 40 g Fett,
1 Päckchen Hefe, 1 Teelöffel Zucker, 250 g Magerquark*

Aus den Zutaten einen geschmeidigen Teig kneten. Warmstellen
und gehenlassen. Erneut durchkneten. Zu Brötchen formen und
auf einem Backblech oder in Brötchenformen noch einmal gehenlassen. Einschneiden und mit Milch bestreichen. Bei 200 bis 220
Grad 15 bis 20 Minuten backen.

Die mag Loti zum Frühstück.

61

Irische Kartoffelbrötchen

500 g Weizenmehl, 50 g Kartoffelmehl, ¼ l Milch,
1 Prise Salz, 1 Päckchen Hefe, 1 Teelöffel Zucker

Milch aufkochen und das angerührte Kartoffelmehl hineingeben. Unter Umrühren aufkochen und abkühlen lassen. Zusammen mit den übrigen Zutaten zu einem nicht zu klebrigen Teig kneten. Warmstellen und gehenlassen. Erneut durchkneten und zu Brötchen formen. Auf gefettetem Backblech noch einmal gehenlassen und bei 200 bis 220 Grad 15 bis 20 Minuten backen.

Dunkle Roggenbrötchen

325 g Weizenmehl, 325 g Roggenmehl, 1 Teelöffel
Salz, 4 dl. Wasser, 1 Päckchen Hefe, 1 Tasse Sauer-
teig, 3 Eßlöffel Sirup

Aus den Zutaten einen nicht zu klebrigen Teig schlagen. Warmstellen und gehenlassen. Unter Mehlzugabe erneut durchkneten. Zu Brötchen formen. Auf gefettetem Backblech oder in Brötchenformen erneut gehenlassen. Oberfläche einschneiden und mit schwarzem Kaffee bestreichen. Bei 180 bis 200 Grad 15 bis 20 Minuten backen.

Roggen-Brötchen mit Hefe

250 g Weizenmehl, 250 g Roggenmehl, 1 Prise Salz,
¼ l Milch, 1 Päckchen Hefe, 1 Teelöffel Zucker

Aus den Zutaten einen nicht zu klebrigen Teig schlagen. Warmstellen und gehenlassen. Unter Mehlzugabe erneut durchkneten. Zu Brötchen formen. Auf gefettetem Backblech oder in Brötchenformen erneut gehenlassen. Einschneiden und bei 180 bis 200 Grad 15 bis 20 Minuten backen.

Berliner Schusterjungen

*200 g Weizenmehl, 400 g feines Roggenmehl, 1 Prise
Salz, 1 Päckchen Hefe, ⅜ l Wasser, 1 Teelöffel
Zucker*

Aus den Zutaten einen nicht zu klebrigen Teig schlagen. Warmstellen und gehenlassen. Unter Mehlzugabe erneut durchkneten.
Bällchen formen, flachdrücken und mit grobem Salz bestreuen.
Auf gefettetem Backblech noch einmal gehenlassen und bei 200
bis 220 Grad 15 bis 20 Minuten backen.

*Schmecken besonders gut
mit Gänseschmalz und
Harzer Roller!*

Weizen-Mischbrötchen

*700 g Weizenmehl, 300 g feines Roggenmehl, 1 Tee-
löffel Salz, 6 dl. Milch, 80 g Fett, 2 Päckchen Hefe,
1 Eßlöffel Zucker*

Aus den Zutaten einen festen Teig kneten. Warmstellen und gehenlassen. Erneut durchkneten und zu Brötchen formen. Oberfläche
einschneiden. Auf einem Brett, auf einem gefetteten Backblech oder
in einer Brötchenform gehenlassen und bei 180 Grad 25 bis 30 Minuten backen.

Grahams-Brötchen

500 g Grahamsmehl, 1 Prise Salz, 2 dl. Wasser,
4 Eßlöffel Öl, 1 dl. Milch, 1 Päckchen Hefe, 1 Tee-
löffel Zucker

Aus den Zutaten einen nicht zu klebrigen Teig schlagen. Warmstellen und gehenlassen. Unter Mehlzugabe erneut durchkneten. Zu Brötchen formen. Auf gefettetem Backblech oder in Brötchenformen noch einmal gehenlassen. Mit schwarzem Kaffee abstreichen und bei 225 Grad 15 bis 20 Minuten backen.

Isländer } *waren das nicht Pferde ?*

125 g Weizenmehl, 250 g Grahamsmehl, 1 Prise
Salz, ¼ l Milch, 75 g Fett, 1 Päckchen Hefe

Aus den Zutaten einen Hefeteig bereiten. Warmstellen und gehenlassen. Unter Mehlzugabe erneut durchkneten und zu kleinen Brötchen formen. Entweder auf einem Brett, auf einem Blech oder in einer Brötchenform gehenlassen. Bei 190 bis 200 Grad 25 bis 35 Minuten backen.

Lettische Kümmelbrötchen

500 g Weizenmehl, 1 Prise Salz, ¼ l Milch, 60 g Fett,
1 Päckchen Hefe, 1 Teelöffel Zucker, 2 Eßlöffel
Kümmel zum Bestreuen

Aus den Zutaten einen geschmeidigen Teig kneten. Warmstellen und gehenlassen. Erneut durchkneten und Kugeln formen. Auf gefettetem Blech noch einmal gehenlassen. Vertiefung eindrücken und etwas Butter und Kümmel hineingeben. Bei 200 bis 220 Grad 15 bis 20 Minuten backen.

Kümmelhörnchen

500 g Weizenmehl, 1 Prise Salz, ⅛ l Milch, ⅛ l Wasser, 20 g Fett, 1 Päckchen Hefe, 1 Teelöffel Zucker, 2 Eßlöffel Kümmel und 1 Eigelb zum Bestreichen

Aus den Zutaten einen geschmeidigen Teig kneten. Warmstellen und gehenlassen. Erneut durchkneten und ausrollen. Handtellergroße Quadrate schneiden und zu Hörnchen aufrollen. Auf gefettetem Blech noch einmal gehenlassen. Oberfläche mit Eigelb bestreichen und mit Kümmel bestreuen. Bei 180 bis 200 Grad 15 bis 20 Minuten backen.

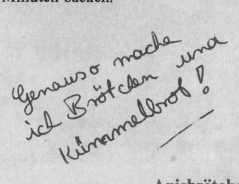

Genauso mache ich Brötchen und Kümmelbrot!

Anisbrötchen → *Gesundheit*

500 g Weizenmehl, 1 Prise Salz, ¼ l Milch, 125 g Fett, 1 Päckchen Hefe, 125 g Zucker, 1 Teelöffel Anispulver

Aus den Zutaten einen geschmeidigen Teig kneten. Warmstellen und gehenlassen. Erneut durchkneten. Zu Brötchen formen und auf einem gefettetem Backblech oder in Brötchenformen noch einmal gehenlassen. Oberfläche einschneiden und mit milchverquirltem Eigelb bestreichen. Bei 200 bis 220 Grad 15 bis 20 Minuten backen. Sofort nach dem Herausnehmen mit Puderzucker bestreuen.

die mag ich!

DANKE.

Sesambrötchen

125 g Weizenmehl, 250 g grobes Roggenmehl, 1 Prise Salz, 1 Teelöffel Sesamwürze, ⅛ Liter Milch, 70 g Fett, 1 Päckchen Hefe, 1 Teelöffel Zucker, 2 Eßlöffel geröstete Sesamkörner

Aus den Zutaten einen nicht zu klebrigen Teig schlagen. Warmstellen und gehenlassen. Unter Mehlzugabe erneut durchkneten und zu Brötchen formen. Oberfläche einschneiden, mit Milch bestreichen und mit Sesamkörnern bestreuen. Noch einmal gehenlassen. Bei 200 Grad 20 bis 30 Minuten backen.

Baltische Speckbrötchen

Warm essen und Bier dazu !

250 g Weizenmehl, 1 Teelöffel Salz, ⅛ l Milch, 70 g Fett, ½ Päckchen Hefe, 1 Teelöffel Zucker, Für die Füllung: 500 g durchwachsener Speck, 200 g Zwiebeln

Aus den Zutaten für den Teig einen geschmeidigen Hefekloß kneten. Warmstellen und gehenlassen. In der Zwischenzeit den gewürfelten Speck zusammen mit den Zwiebelwürfeln auslassen und goldgelb braten. Den Teig erneut durchkneten. Ausrollen. Handtellergroße, 1 cm dicke Kreise ausstechen. Etwas Füllung auf die Mitte geben. Teigränder nach oben zusammendrücken. Auf gefettetem Backblech erneut gehenlassen. Bei 200 Grad 15 bis 20 Minuten backen.

Die Brötchen schmecken noch würziger, wenn man die Speckstreifen nicht vorher anbrät!

Schmalzbrötchen

450 g Weizenmehl, 1 Prise Salz, 2 dl. Milch, ½ dl. Wasser, 1 Päckchen Hefe, 1 Teelöffel Zucker, 60 g zerlassenes Schweineschmalz

Aus den Zutaten einen nicht zu klebrigen Teig kneten. Warmstellen und gehenlassen. Unter Mehlzugabe erneut durchkneten. Zu Brötchen rollen und auf gefettetem Backblech noch einmal gehenlassen. Oberfläche mit einem Rest Schmalz bestreichen. Bei 200 bis 220 Grad 15 bis 20 Minuten backen.

da fallen mir meine ganzen Sünden bei — oh je.

Croissants

300 g Weizenmehl, 1 Prise Salz, ⅛ l Milch, 175 g Fett, 1 Päckchen Hefe, 30 g Zucker, 1 Ei

Aus den Zutaten ohne das Fett einen geschmeidigen Teig kneten. Warmstellen und gehenlassen. Ausrollen. Das Fett in die Mitte legen, die Ränder überklappen und den Teig erneut ausrollen. Dieser Vorgang wird fünfmal wiederholt, bis das Fett gut in den Teig eingearbeitet ist. Teig 30 Minuten kühl stellen. Sehr dünn ausrollen. Handtellergroße Quadrate schneiden und zu Hörnchen aufrollen. Auf gefettetem Blech aufgehen lassen. Mit Ei bestreichen. Bei 220 bis 240 Grad 10 bis 15 Minuten lang backen.

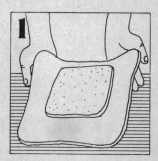  

Plunder-Brötchen

500 g Weizenmehl, 150 g Tiefkühl-Blätterteig, 1 Ei-
gelb

Blätterteig auftauen und mit dem Mehl verarbeiten. Brötchen formen.
Auf ein gefettetes Backblech oder in Brötchenformen geben. Mit
Eigelb bestreichen. Bei 220 Grad 30 bis 40 Minuten backen.

Laugenbrötchen

(aber nicht mit
Wäschelauge)
Fritz!

500 g Weizenmehl, 3 dl. Wasser, 1 Päckchen Hefe,
1 Teelöffel Zucker, eine Handvoll grobes Salz,
notfalls einen Teelöffel normales Salz,
Für die Lauge: 100 g Soda aus der Apotheke (Kris-
tall-Form)

Aus den Zutaten einen geschmeidigen Teig kneten. Gehenlassen.
Erneut durchkneten und zu Brötchen formen. Auf bemehltem Brett
aufgehen lassen. Soda in gut einem Liter Wasser aufkochen. Die
aufgegangenen Brötchen vorsichtig umdrehen und auf einer Schöpfkelle ins sprudelnd kochende Sodawasser geben. Einmal aufkochen
lassen, herausheben mit der Schöpfkelle, abtropfen lassen und auf
ein gefettetes Backblech geben. Sofort im vorgeheizten Ofen bei
220 Grad backen. Je nach Wunsch weich (20 Min.) oder hart (35 Min.)
abbacken. Herausnehmen und unter einem sauberen Tuch auf
einem Kuchengitter kurz abkühlen lassen. Am besten warm essen.

Kann man auch
zu Brezeln

formen.

Notizen & weitere Rezepte:

fig. 6

Nicht mehr aus Not: Brei ins Brot

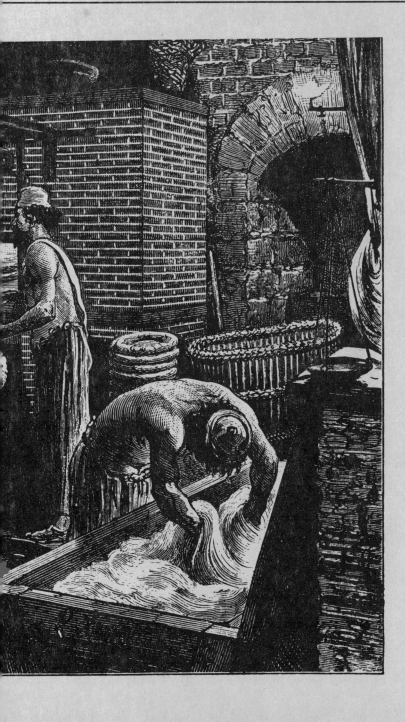

Nicht mehr aus Not: Brei ins Brot

Buk Ihre Großmutter auch immer Milchbrei oder Kartoffelmehl ins Brot? In Kriegs- und Notzeiten kamen unsere Vorfahren auf noch ganz andere Ideen:

Was immer sich zerreiben ließ - in vergangenen Jahrhunderten wurde es in Notzeiten zermahlen und verbacken. Eicheln, Rinden, Stroh, Schilf, Strandhafer und manch' Ungewöhnliches mehr. Kriegsnöte und Hungerzeiten machten unsere Vorväter erfinderisch.

„Nimm Weizen, Gerste, Bohnen, Linsen, Hirse und Wickensamen - sechs Dinge - und mische sie alle in einem Faß. Aus ihnen sollst du dein Brot machen." So steht es schon bei Hesekiel (3, Vers 4) in der Bibel. Auch später lehrte Not backen - und den Teig strecken.

Den Indianern Nordamerikas gleich mühten sich die Franzosen in Kriegszeiten, Eichelmehl zu entbittern. Sie vermischten mit den wenigen Mehlresten, die ihnen blieben, auch Baumrinden. Wie die Ungarn, die auch Erde und Stroh verbacken haben. In Deutschland mengte man Gemüsesamen unter Weizen-, Roggen- und Gerstengetreide. Man mahlte Samen von Strandroggen und Strandhafer und verarbeitete sogar Schilfrohr und Binsen, wie zur Zeit der Urmenschen. Das abenteuerlichste Notbrot mußten einst die Schweden essen. Es bestand nur noch zu einem Zehntel aus Mehl - der Rest waren Stroh und Fichtenrinde.

In Skandinavien erinnerte man sich auch der Ursitte, Tierblut zu trocknen und dem Getreide beizugeben. Die Schweden verbuken Rentierblut mit Gerste und viel Wasser. In Estland nahm man Schweineblut und Roggenreste. Auch aus Deutschland wird von vielerlei Blutgebäcken berichtet.

72

Sozusagen als Hefe-Ersatz, so weiß Karl Friedrich von Rumohr Anfang des 19. Jhs. zu berichten, benutzten die Franzosen Taubenmist. „Sie bedienen sich zum Auflockern ihrer Semmelbrote des Taubenmistes, welcher sie mit Luft erfüllt, die, nachdem sie im Ofen sich ausgedehnt hat, die Teigmasse auf die Oberfläche treibt, wo sie alsdann zu einer hohlen Kruste oder Rinde ausgebacken wird... Übrigens mögen die Ärzte entscheiden, ob nicht der hitzige Taubenmist bei fortgesetztem Genusse die Gesundheit beeinträchtigen könne..."

Heute backt man auch wieder Brei ins Brot - aber nicht mehr aus Not. Grieß, Maismehl, Haferflocken, Buchweizen, Hirse, Kartoffelmehl und manches mehr gesellen sich zum Brotgetreide. Es sind schmackhafte Varianten, die oft noch sehr wesentliche Nebenwirkungen haben. Kartoffelmus zum Beispiel macht Brote feucht und frisch - und damit lange haltbar.

Brote aus vielerlei „Mehl" –
Kartoffeln, Mais, Hirse und Reis strecken und schmecken

Irisches Bauernbrot

*120 g Weizenmehl, 500 g feines Roggenmehl, 60 g
grobes Roggenmehl, 60 g Haferflocken, 1 Teelöffel
Salz, 7 dl Buttermilch, 1 Päckchen Backpulver*

Aus den Zutaten knetet man einen weichen Teig, formt ihn zu
einem Brotlaib und legt ihn in eine gefettete Kastenform. Die Oberfläche einkerben und mit schwarzem Kaffee bestreichen. Bei 200
Grad 40 bis 45 Minuten backen.

Österreichisches Weizenkeim-Brot

*700 g Weizenmehl, 400 g Roggenmehl, 8 dl Wasser,
1 Prise Salz, 125 g Weizenkeime, 2 Päckchen Hefe,
1 Eßlöffel Öl, 100 g Kartoffelmus, 1 Eßlöffel Kümmel,
1 Teelöffel Zucker*

400 g Roggenmehl mit 5 dl Wasser überbrühen, zu einem Brei rühren und abkühlen lassen. Zusammen mit den übrigen Zutaten zu
einem geschmeidigen Teig kneten. Warmstellen und gehenlassen.
Erneut durchkneten und zum Laib formen. Noch einmal gehenlassen
und bei 200 bis 220 Grad 50 - 60 Minuten backen.

Festbrot von den Färöern

*600 g Weizenmehl, 1 Prise Salz, ½ l Milch, 1 Päck-
chen Hefe, 125 g Weizengrütze, 125 g Fett, 125 g Rosinen, 125 g Zucker, 1 Teelöffel Kardamom*

Weizengrütze mit der Milch zu einem Brei kochen und abkühlen
lassen. Aus den übrigen Zutaten einen nicht zu festen Teig kneten. Die Grütze dazugeben und darunterarbeiten. Warmstellen und
gehenlassen. Erneut durchkneten und zum Laib formen. Bei 200 bis
220 Grad 40 bis 50 Minuten backen.

Finnisches Flachbrot

300 g Weizenmehl, 200 g Gerstenmehl, ½ Pfund Kar-
toffelmus, ½ l Wasser, 1 Teelöffel Salz, 1 Päckchen
Hefe, 1 Teelöffel Zucker

Aus den Zutaten einen nicht zu klebrigen Teig schlagen. Warmstellen und gehenlassen. Auf einem gefetteten Kuchenblech ausstreichen.
Erneut gehenlassen. Mit der Gabel mehrfach einstechen und bei
180 bis 200 Grad 15 - bis 20 Minuten backen. In Stücke schneiden und auskühlen lassen.

Buchweizenbrot

400 g Buchweizenmehl, 1 Prise Salz, ¼ l Buttermilch,
1 Päckchen Backpulver, 4 Eßlöffel brauner Rohzucker

Aus den Zutaten vorsichtig einen nicht zu weichen Teig formen.
In gefettete Kastenform geben und bei 225 Grad 40 bis 50 Minuten
backen.

Reismehlbrot

aber

Gesund!

300 g Reismehl (evtl. auch Reisflocken), 100 g Mais-
mehl, ⅛ l Buttermilch, ⅛ l Wasser, 1 Prise Salz,
1 Päckchen Backpulver, 2 Teelöffel Kümmel, 4 Eßlöf-
fel Honig

sehr karmelig

Aus den Zutaten einen nicht zu klebrigen Teig rühren. In eine kleine,
ausgefettete Kastenform geben und bei 200 Grad 50 bis 60 Minuten
backen.

Großmutters Diätbrot

125 g Milchreis, ½ l Milch, 500 g Weizenmehl, 1 Prise
Salz, 1 Päckchen Hefe, 1 Teelöffel Zucker, ⅛ - ¼ l
Wasser

Reis mit Milch und Salz zu einem Brei kochen und abkühlen lassen. Mehl in eine Schüssel geben, Hefe mit Zucker und lauwarmem
Wasser aufrühren und zum Mehl geben. Den abgekühlten Reisbrei
vorsichtig unterheben. Den Teig kneten, bis er geschmeidig ist. Warmstellen und gehenlassen. Erneut durchkneten und einen Laib formen.
Noch einmal gehenlassen. Bei 200 Grad 40 bis 50 Minuten backen.

Ländliches Kartoffelbrot

125 g Kartoffelmus, 3 dl Wasser, 2 Eßlöffel Sirup,
400 g Reismehl, 1 Prise Salz, 1 Päckchen Hefe,
1 Teelöffel Zucker

Kartoffelmus mit dem lauwarmen Wasser gut durchrühren. Hefe mit Zucker aufrühren und dazugeben. Sirup, Fett und Reismehl vorsichtig unterrühren. Den sehr klebrigen Teig gut durchschlagen, warmstellen und gehenlassen. Unter Mehlzusatz erneut durchkneten, zum Laib formen und noch einmal gehenlassen. Bei etwa 200 Grad 50 bis 60 Minuten backen.

Reisbrot

125 g Milchreis, ¾ l Milch, 1 Prise Salz, 500 g Wei-
zenmehl, 1 Päckchen Hefe, 1 Teelöffel Zucker, 1 Teel-
löffel Salz

Den Reis mit einer Prise Salz und einem halben Liter Milch zu einem Brei kochen und abkühlen lassen. Aus Mehl, Salz, Hefe, Zucker und ¼ l lauwarmer Milch einen Teig kneten. Den abgekühlten Reisbrei darunterziehen. Den ziemlich klebrigen Teig gut durchschlagen, warmstellen und gehenlassen. Unter Mehlzusatz erneut durchkneten und zum Laib formen. Mit Milch bestreichen und bei 200 Grad 40 bis 50 Minuten backen.

bei der Gelegenheit
auch an Grieß
mit Pflaumen
denken.

Grießbrot

300 g Weizenmehl, 300 g Roggenmehl, 1 Prise Salz,
50 g Grieß, ¼ l Milch, ¼ l Wasser, 2 Päckchen
Hefe, 1 Teelöffel Zucker

Aus Milch und Grieß einen Brei kochen und abkühlen lassen. Aus den übrigen Zutaten einen Hefeteig schlagen. Den Grießbrei daruntergeben und gut durchkneten. Warmstellen und gehenlassen. Erneut durchkneten und zum Laib formen. Auf gefettetem Blech noch einmal gehenlassen und bei 200 Grad 50 bis 60 Minuten backen.

Königsberger Brot

50 g Grieß, ½ l Milch, 1 Prise Salz, 350 g Weizen-
mehl, 350 g feines Roggenmehl, 2 Päckchen Hefe,
1 Eßlöffel Zucker

Aus Milch, Grieß und Salz einen Brei kochen und abkühlen lassen. Aus Mehl, Salz, Hefe und Zucker einen Hefeteig kneten. Den
Grießbrei dazugeben und gut durchkneten. Warmstellen und gehenlassen. Erneut kneten und zum Laib formen. Noch einmal gehenlassen
und bei 200 Grad 50 bis 60 Minuten backen.

Haferflockenbrot

75 g Haferflocken, ½ l Wasser, 1 Prise Salz, 660 g
Weizenmehl, ¼ l Milch, 15 g Fett, 1 Päckchen Hefe,
1 Teelöffel Zucker, 1 Teelöffel Salz

Die Haferflocken werden mit Wasser und Salz zu einem Brei ge-
kocht. Abkühlen lassen. Mehl in eine Schüssel geben. Milch mit Fett
erwärmen und dazugeben. Hefe mit Zucker glattrühren und unterheben. Den abgekühlten Haferbrei darunterkneten. Den ziemlich klebrigen Teig gut durchschlagen, warmstellen und gehenlassen. Unter
Mehlzugabe erneut kneten und zu einem Laib formen. Noch einmal gehenlassen und bei 200 bis 220 Grad 40 bis 50 Minuten backen.

Niederländisches Brot

75 g Haferflocken, ½ l Wasser, 660 g Weizenmehl,
1 Prise Salz, 2 dl Milch, 15 g Fett, 1 Päckchen Hefe,
1 Teelöffel Zucker

Aus den Haferflocken und dem Wasser eine Grütze kochen und abkühlen lassen. Aus den übrigen Zutaten einen Hefeteig herstellen.
Grütze unterschlagen. Den ziemlich klebrigen Teig warmstellen und
gehenlassen. Unter Mehlzugabe erneut kneten, zum Laib formen und
noch einmal gehenlassen. Bei etwa 200 Grad 40 bis 50 Minuten
backen.

77

Kaschubisches Brot

500 g gekochte Kartoffeln, 6 dl Wasser, 2½ Eßlöffel Sirup, 2 Päckchen Hefe, 1 Tasse Sauerteig, ¼ l lauwarmes Wasser, 400 g Weizenmehl, 650 g feines Roggenmehl, 1 Prise Salz

Die gekochten Kartoffeln mit dem lauwarmen Wasser und dem Sirup gut durchrühren. Sauerteig, Hefe und ¼ l Wasser glattrühren und zum Kartoffelbrei dazugeben. Mehl und Salz unterschlagen. Den sehr klebrigen Teig warmstellen und gehenlassen. Unter Mehlzugabe erneut durchkneten und zum Laib formen. Oberfläche einkerben und mit Zuckerwasser bestreichen. Noch einmal gehenlassen. Bei 180 bis 200 Grad 60 bis 70 Minuten backen.

lecker!
wie im Urlaub in der Algarve.

Portugiesisches Maisbrot

200 g Maismehl, ½ l Wasser, 400 g Weizenmehl, 1 Prise Salz, 1 Päckchen Hefe, 1 Teelöffel Zucker, 1 Eßlöffel Olivenöl

Maismehl in eine Schüssel geben, mit kochendem Wasser überbrühen, glattrühren, quellen und abkühlen lassen. Hefe mit Zucker aufrühren und dazugeben. Weizenmehl und Olivenöl darunterschlagen. Den nicht zu klebrigen Teig warmstellen und gehenlassen. Unter Mehlzugabe erneut durchkneten. Zu einem Laib formen und noch einmal gehenlassen. Bei 180 bis 200 Grad 40 bis 45 Minuten backen.

Arabische Maisfladen

40 g Maismehl, ¼ l Wasser, 500 g Weizenmehl, 1 Prise Salz, 1 Päckchen Hefe, 1 Teelöffel Zucker, 3 Eßlöffel Olivenöl

Maismehl in eine Schüssel geben, mit kochendem Wasser überbrühen und glattrühren. Quellen und abkühlen lassen. Hefe mit dem Zucker glattrühren und dazugeben. Öl und Mehl unterrühren. Der sehr feste Teig muß heftig und lange geknetet werden. Warmstellen und gehenlassen. Erneut durchkneten. Zu Fladen ausrollen, die auf einem gefetteten Backblech erneut gehen müssen. Mit der Gabel mehrfach einstechen. Bei 250 Grad 5 bis 10 Minuten goldbraun backen.

Warm essen!

78

Maisbrot mit Sauerteig

175 g Maismehl, 1 Prise Salz, ⅜ l Milch, 500 g Weizenmehl, 1 Tasse lauwarmes Wasser, 50 g Fett, 1 Päckchen Hefe, 1 Tasse Sauerteig, 1 Teelöffel Zucker

Milch zum Kochen bringen, Fett darin auflösen. Maismehl mit Zucker und Salz in eine Schüssel geben, kochende Milch darübergießen und gut glattrühren. Sauerteig und Hefe mit Zucker und lauwarmem Wasser sehr glattrühren. Maismehlbrei und Sauerteigbrei zusammenschlagen. Weizenmehl unterkneten. Der Teig ist ziemlich klebrig. Warmstellen und gehenlassen. Unter Mehlzugabe erneut kneten und vorsichtig zu einem Laib formen. Noch einmal gehenlassen. Bei 220 bis 225 Grad 40 bis 45 Minuten backen.

Sauerteig s. Seite 125

fig · 7

D

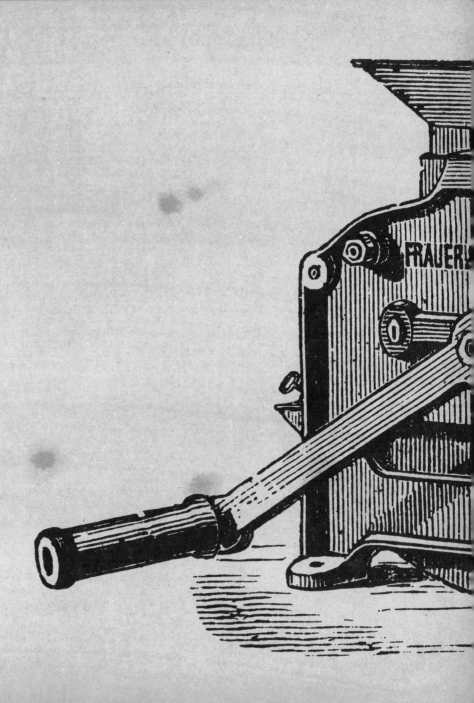

Mensch lebt nur vom Brot allein

Der Mensch lebt nur vom Brot allein

Wollen Sie nicht nur gut, sondern auch gesund essen? Dann müssen Sie dieses lesen:

Brot enthält alle Stoffe, die für die Erhaltung des menschlichen Lebens notwendig sind. Das wußten schon die Inkas. Wollten sie einen Feind oder Verbrecher mit einer quälenden, todbringenden Strafe belegen, so sperrten sie ihn ein und ließen ihn nichts als Fleisch essen. Er verhungerte elendig. Hätten sie ihm nichts als Brot gegeben - er hätte überlebt.

Als Heilmittel ungewöhnlicher Art benutzten in grauer Vorzeit Kräuterhexen und Quacksalber das Brot. Sie ließen zum Beispiel Scheiben verschimmeln und legten sie Kranken als heilende Pflaster auf die Wunden. Die Folgen dürften ebenso schädlich gewesen sein wie der Genuß verschimmelter Brote.

Heute ist das Brot - von einigen abergläubischen Relikten abgesehen - zwar kein Zaubermittel mehr - für die menschliche Gesundheit aber spielt es eine immer wichtigere Rolle. Ernährungswissenschaftler haben festgestellt, daß Brote von stark ausgemahlenen Mehlen neben wesentlichen Mineralien und Spurenelementen auch das wichtige Vitamin B_1 (Thiamin) enthalten, das vor allem im sogenannten „Schildchen" - einer Zellschicht zwischen dem Mehlkörper und dem Getreidekeim des Kornes sitzt. Mangel an Thiamin kann zu Leistungsminderung, Konzentrationsschwächen, Kopfschmerzen, Vergeßlichkeit und Funktionsstörungen an Organen und Nerven führen. „Gesundheitsbrot" aus grobem Mehl und Schrot kann wesentlich zur Deckung des Tagesbedarfs von 1,5 bis 2 Milligramm Thiamin beitragen. Reformhäuser sind die sicherste Einkaufsquelle für gesundes Schrot und Korn.

Gesundes Brot – aus vollem Korn und Schrot

Fettloses Schrotbrot

500 g Weizenschrot, 1 Teelöffel Salz, 3 dl Wasser,
1 Päckchen Hefe, 2 Eßlöffel dunkler Rohzucker

Aus den Zutaten einen nicht zu klebrigen Teig schlagen. Warmstellen und gehenlassen. Unter Mehlzugabe erneut durcharbeiten und zum Laib formen. Noch einmal gut gehenlassen. Bei 200 bis 220 Grad 50 bis 60 Minuten backen.

Süßes Schrotbrot

500 g Weizenschrot, 1 Prise Salz, ⅛ l Wasser,
¼ l Milch, 40 g Fett, 3 Eier, 1 Päckchen Hefe,
4 Eßlöffel Honig, 2 Eßlöffel brauner Rohzucker,
1 Teelöffel Zimt, 1 Messerspitze Nelkenpulver

Aus den Zutaten einen geschmeidigen Teig kneten. Warmstellen und gehenlassen. Erneut durchkneten und zum Laib formen. Noch einmal gehenlassen. Bei 225 Grad 50 bis 60 Minuten backen.

Weizen-Schrotbrot

500 g Weizenschrot, 1 Prise Salz, 3 dl Wasser,
2 Eßlöffel Fett, 2 Eßlöffel Honig, 1 Päckchen Hefe

Aus den Zutaten einen sehr klebrigen Teig schlagen, warmstellen und gehenlassen. Unter Mehlzugabe erneut durchkneten, zum Laib formen und noch einmal gehenlassen. Bei 200 bis 220 Grad 40 bis 50 Minuten backen.

Dänisches Schrotbrot

600 g Weizenmehl, 250 g Weizen-Vollkornschrot,
1 Teelöffel Salz, 5 dl Wasser, 50 g Fett, 2 Päckchen
Hefe, 1 Eßlöffel Zucker

Aus den Zutaten einen festen Teig kneten. Warmstellen und gehenlassen. Erneut durchkneten und zum Brotlaib formen. Bei 200 Grad 40 bis 50 Minuten backen.

Dasu: rødgrød med fløde!
(Rote Grütze mit Sahne)

Finnisches Weizenschrotbrot —Tervegsleipä

150 g Weizenschrot, 150 g Weizenmehl, 150 g Reis-mehl, 150 g feines Roggenmehl, 1/4 l Buttermilch, 1/8 l Wasser, 1 Prise Salz, 4 Eßlöffel Öl, 2 Päckchen Hefe, 1 Teelöffel Zucker

Aus den Zutaten einen nicht zu klebrigen Teig schlagen. Warmstellen und gehenlassen. Unter Mehlzugabe erneut durchkneten. Zum Laib formen. Noch einmal gehenlassen. Die Oberfläche mit Wasser abstreichen und mit Weizenkörnern überstreuen. Bei 200 bis 220 Grad 50 bis 60 Minuten backen.

Gesundheitsbrot

500 g Weizenmehl, 500 g Weizenschrot, 1/4 l Milch 1/4 l Wasser, 1 Prise Salz, 2 Päckchen Hefe, 1 Tee-löffel Zucker

Aus den Zutaten einen festen Hefeteig kneten. Warmstellen und ge-henlassen. Erneut durchkneten und zum Laib formen. Noch einmal gehenlassen und bei 200 Grad 40 bis 50 Minuten backen.

Hollywood-Brot

500 g Weizenmehl, 250 g Weizenschrot, 1 Teelöf-fel Salz, 1/4 l Milch, 1 Päckchen Hefe, 1 Tasse Sauer-teig, 1 Teelöffel Zucker

Aus den Zutaten einen nicht zu klebrigen Teig schlagen. Warmstellen und gehenlassen. Unter Mehlzugabe erneut durchkneten und zum Laib formen. Noch einmal gehenlassen und bei 180 bis 200 Grad 50 bis 60 Minuten backen.

wie bei Marylin!

Russisches Brot

200 g Weizenmehl, 250 g Roggenmehl, 200 g Roggenschrot, 1 Prise Salz, 3/8 l Buttermilch, 1 Päckchen Hefe, 1 Tasse Sauerteig, 1 Teelöffel Zucker, ½ Teelöffel geriebene Muskatnuß, 1 Prise Nelkenpulver, 3 Teelöffel Koriander, ½ Teelöffel gemahlener Anis

Aus den Zutaten einen nicht zu klebrigen Teig schlagen. Warmstellen und gehenlassen. Unter Mehlzugabe erneut durchkneten. Zum Laib formen, Oberfläche einkerben und mit Öl bestreichen. Auf gefettetem Backblech noch einmal gehenlassen. Bei 200 bis 220 Grad 60 bis 70 Minuten backen.

Roggen-Schrotbrot

250 g Weizenmehl, 125 g Weizenschrot, 400 g Roggenschrot, 1 Teelöffel Salz, ½ l Wasser, 1 Päckchen Hefe, 1 Tasse Sauerteig, 1 Teelöffel Zucker

Aus den Zutaten einen nicht zu klebrigen Teig schlagen. Warmstellen und gehenlassen. Unter Mehlzugabe erneut durchkneten. Zum Laib formen und noch einmal gehenlassen. Bei 200 bis 220 Grad 50 bis 60 Minuten backen.

Leinsamen-Brot

500 g Roggenschrot, 1 Teelöffel Salz, ½ l Wasser, 1 Päckchen Hefe, 1 Tasse Sauerteig, 1 Teelöffel Zucker, 2 Eßlöffel Leinsamen, 1 Teelöffel Koriander

Aus den Zutaten einen sehr klebrigen Teig schlagen. Warmstellen und gehenlassen. Unter Mehlzugabe erneut durchkneten und zum Laib formen. Erneut gehenlassen. Bei 180 bis 200 Grad 50 bis 60 Minuten backen.

für christa: macht schlank!

Schrotbrot aus dem Römertopf

250 g Weizenmehl, 250 g Weizenschrot, 250 g Weizenflocken, 1 Teelöffel Salz, ⅜ l Wasser, 2 Päckchen Hefe, 1 Teelöffel Zucker, 80 g Leinsamen, 80 g Leinsamenschrot, 250 g Magerquark

Aus den Zutaten wird ein sehr klebriger Teig hergestellt. Warmstellen und sehr lange gehenlassen. Kräftig durchkneten und unter Mehlzugabe zu einem Laib formen. Einen mit Wasser vollgesogenen Römertopf mit Alufolie auslegen. Brotlaib hineinlegen, Alufolie locker darüber zusammenschlagen. Erneut gehenlassen. Bei 200 Grad 1 ½ Stunden backen, Deckel vom Römertopf nehmen, Alufolie öffnen und das Brot noch einmal 10 Minuten lang bei 200 Grad im Ofen stehenlassen, damit die Kruste knusprig wird.

Notizen & weitere Rezepte:

Es ist was dran, daß was drin ist

Es ist was dran, daß was drin ist

Sie glauben gar nicht, wieviel Aberglauben es ums Brot gibt!
Ins Brot eingebacken wurden zu allen Zeiten nicht nur köstliche Geschmackszutaten, sondern auch so mancher Aberglaube. Rituelle Zauberhandlungen haben immer dicht beim Brotteig gelegen. Es gab keinen Lebensbereich, der nicht vom Brot-Orakel betroffen war, keinen Handschlag beim Brot-Backen, dem nicht geheimnisvolle Bedeutung beigemessen wurde. Beim Kneten, Einschieben, Anschneiden lassen sich vielerorts auch heute noch heidnische und christliche Riten erkennen, die von altersher überliefert sind. Wenn Sie an falschen Wochentagen backen, bringen Sie Not, Zank oder Hunger ins Haus, wenn Sie den Laib auf die runde Seite legen, holen Sie Unglück in die Familie (weil Henkersbrote stets umgedreht zur Seite gelegt wurden). Tod, schlechte Ernten, Unfruchtbarkeit, Zwillingsgeburten - für alles wußte einst das Brot-Orakel Erklärungen. Das Schimmeln der Brote läßt sich vermeiden, wenn man Märzschnee zum Backen verwendet und besonders viel Heilkraft enthalten die Weihnachtsbrote. Wie das mit dem Aberglauben nun so ist - es hat und hatte jeder Ort, jede Gegend eigene „Gesetze". Und viele widersprüchliche noch dazu, so daß am Ende für alles ein „Schuldiger" gefunden werden kann.

Zu den Sitten, die bis in die Gegenwart erhalten geblieben sind, gehören vor allem Freundschafts- und Hochzeitsbrauchtum. Immer noch legt man dem Freund vor seinem Einzug in ein neues Heim Brot, Salz und Geld ins Haus - damit er stets von allem genügend habe. Man reicht Brot und Salz dem Fremden zum Gruß, legt es dem Kranken unters Kissen und gibt es der Braut in die Schuhe. Zu allen Zeiten ist Brot das Symbol der Familie, der Nahrung, der Existenz, der Fruchtbarkeit gewesen. Auch wenn man vom heidnischen oder christlichen Glauben nichts hält, kann man sich einer gewissen Brot-Symbolik nicht verschließen. Es ist schon was dran, daß was drin ist.

90

Leckerbrote – mit Kürbis, Kerbel, Kokosnuß

Apfel-Brot

500 g Weizenmehl, 1 Prise Salz, ¼ l Milch, 50 g Fett,
1 Päckchen Hefe, 50 g Zucker, 1 Ei, 1 Prise Zimt,
abgeriebene Schale von 1 Zitrone, 500 g geraspelte
Äpfel

Aus den Zutaten einen etwas klebrigen Teig herstellen. Warmstellen
und gehenlassen. Erneut durchkneten. Zu einem Laib formen und
noch einmal gehenlassen. Mit Ei bestreichen. Bei 225 Grad 40 bis
50 Minuten backen.

Birnen-Brot

500 g Weizenmehl, 1 Prise Salz, ¼ l Milch, 50 g Fett,
1 Päckchen Hefe, 30 g Zucker, 1 Ei, abgeriebene Scha-
le von 1 Zitrone, 500 g geraspelte Birnen

Aus den Zutaten einen etwas klebrigen Teig herstellen. Warmstellen
und gehenlassen. Erneut durchkneten. Vorsichtig zum Laib formen
und noch einmal gehenlassen. Mit Eigelb bestreichen. Bei 225 Grad
40 bis 50 Minuten backen.

Ostpreußisches Kürbisbrot

1 kg Weizenmehl, 1 Teelöffel Salz, 40 g Fett, 2 Päck-
chen Hefe. 100 g Zucker, 500 g roher Kürbis oder
500 g eingelegter, abgetropfter Kürbis

Kürbismasse pürieren. (Der rohe Kürbis muß erst in Würfel geschnitten und mit etwas Wasser abgekocht werden.)
Aus den übrigen Zutaten einen Hefeteig schlagen. Kürbismasse dazugeben und gut durchkneten. Der Teig muß sehr locker, aber nicht
mehr klebrig sein. Warmstellen und gehenlassen. Erneut durchkneten
und in eine Kastenform geben. Oberfläche einschneiden und mit Eigelb bestreichen. Noch einmal gehenlassen. Bei 180 bis 200 Grad 40 bis
50 Minuten backen.

Kräuterbrot

375 g Weizenmehl, 125 g Roggenmehl, 1 Teelöffel Salz, ¼ l Milch, 60 g Fett, 1 Päckchen Hefe, 1 Eßlöffel Zucker, feingewiegte frische Kräuter (z.B. 1 Bd. Petersilie, 1 Bd. Schnittlauch, 1 großer Stengel Dill, einige Blätter Sauerampfer, etwas Kerbel, etwas Borretsch, viel Kresse, viel Pimpinelle, 1 kl. Zehe Knoblauch)

Mehl in eine Schüssel geben. Salz und gewiegte Kräuter unterheben. Milch erwärmen und damit Hefe und Zucker anrühren. Die Flüssigkeit und das Fett zur Mehlmischung dazugeben und alles gut durchschlagen. Der Teig ist sehr klebrig. Warmstellen und gehenlassen. Unter Mehlzugabe erneut durchkneten und zu einem Laib formen. In einer Backform erneut gehenlassen, mit Eigelb bestreichen. Bei 175 bis 200 Grad 40 bis 50 Minuten backen.

Jakob mags besonders gern mit Salzbutter und Rosy mit Griebenschmalz!

Gefülltes Kräuterbrot

Teig:
500 g Weizenmehl, 1 Prise Salz, ¼ l Milch, 1 Päckchen Hefe, 1 Teelöffel Zucker
Füllung:
50 g Fett, 2 Handvoll frische gehackte Kräuter (z.B. Petersilie, Schnittlauch, Dill, Borretsch, Pimpinelle, Sauerampfer, Kresse, Estragon, Liebstöckel), 1 kl. Knoblauchzehe, 1 große Zwiebel, 1 Prise Thymian, 1 Prise Pfeffer

Aus den Zutaten für den Teig einen geschmeidigen Hefekloß formen. Warmstellen und gehenlassen. Erneut durchkneten und zu einem grossen Rechteck ausrollen. Mit Fett ausstreichen, Kräuter und Gewürze gleichmäßig darauf verteilen. Den Teig seitlich einschlagen und am besten wie eine Biskuitrolle aufrollen, bis er in eine gefettete Kastenform paßt. Nochmals gehenlassen. Oberfläche mit einer Gabel mehrfach einstechen und mit Eigelb bestreichen. Bei 180 bis 200 Grad 60 bis 70 Minuten backen.

Monika wäre sicher sehr erfreut!

Gefülltes griechisches Brot

Teig:
250 g Weizenmehl, 250 g Roggenmehl, 1 Teelöffel
Salz, ½ l Joghurt, 1 Päckchen Hefe, 1 Teelöffel
Zucker, 1 Eßlöffel Öl
Füllung:
4 hartgekochte, in Scheiben geschnittene Eier, 2 Tee-
löffel Estragon (gerebelter), 75 g grüne Oliven

Aus den Zutaten für den Teig einen geschmeidigen Hefekloß formen.
Warmstellen und gehenlassen. Unter Mehlzugabe erneut durcharbeiten. Ausrollen und zu einem großen Dreieck schneiden. Eischeiben
und Oliven darauf verteilen, mit Estragon und einer Prise Salz würzen.
Vorsichtig aufrollen und zu einem Kranz oder Hörnchen formen. Auf
gefettetem Backblech erneut gehenlassen. Bei 200 Grad 30 bis 35 Minuten backen. Kurz vor Ende der Backzeit mit Öl abstreichen.

Sehr würziges Zwiebelbrot

500 g Weizenmehl, 1 Teelöffel Salz, 2 dl Milch, 40 g Fett,
1 Päckchen Hefe, 1 Eßlöffel Zucker, 250 g feingewür-
felte rohe Zwiebeln, 1 Teelöffel Curry

Aus den Zutaten einen festen Teig kneten. Dabei empfiehlt es sich,
die rohen Zwieben gleich zu Anfang unter das Mehl zu mischen.
Teig warmstellen und aufgehen lassen. Erneut gut durchkneten. Zum
Brotlaib formen, Oberfläche einkerben und mit Eigelb bestreichen.
Noch einmal gehenlassen. Bei 200 bis 220 Grad 40 bis 50 Minuten
backen.

Darauf möchte ich Mutters Apfelschmalz
oder grobe Leberwurst.

Ich will lieber Salzbutter!

Pikant belegtes bulgarisches Brot

Teig:
500 g Weizenmehl, 1 Teelöffel Salz, 1/8 l Milch,
1/8 l Wasser, 1 kleiner Becher Joghurt, 2 Eier,
15 g zerlassenes Fett, 1 Päckchen Hefe, 1 Teelöffel
Zucker, 100 g Magerquark
Belag:
200 g milder Schnittkäse, 200 g gekochter Schinken,
schwarze Oliven

Lecker!

Aus den Zutaten einen schweren, glänzenden Teig kneten. Warmstellen und gehenlassen. Unter Mehlzugabe erneut durchkneten. Zu einem großen, runden Laib formen und auf ein gefettetes Backblech legen. Bei 200 Grad 35 bis 40 Minuten backen. Die Oberfläche mit Eigelb bestreichen und dekorativ mit Käse und Schinkendreiecken belegen. Oliven durchschneiden und entsteinen und ebenfalls als Schmuck auflegen. Noch 10 Minuten backen. Warm essen.

Speckbrot

Ein Speckbrett-Spieler wäre begeistert.

300 g durchwachsener Speck, 4 große Zwiebeln, 200 g
Weizenmehl, 500 g Weizenschrot, 400 g Roggenmehl,
300 g Roggenschrot, 1 Eßlöffel Salz, 1/4 l Wasser,
1/4 l Milch, 2 Würfel Hefe, 1 Teelöffel Zucker

Zwiebel und Speckwürfel ausbraten und abkühlen lassen. Aus den übrigen Zutaten einen nicht zu klebrigen Teig schlagen. Zwiebel-Speck-Gemisch dazugeben und gut durchkneten. Warmstellen und gehenlassen. Erneut gut durchkneten und zum Laib formen. Tief einkerben und mit einem Rest ausgebratenem Speck bestreichen. Auf gefettetem Blech noch einmal gehenlassen. Bei 200 bis 220 Grad 50 bis 60 Minuten backen.

Schafskäsebrot

1 kg Weizenmehl, 1 Teelöffel Salz, ½ l Wasser,
2 Würfel Hefe, 1 Teelöffel Zucker, 250 g Schafskäse,
3 große Zwiebeln

Schafskäse mit 3 Eßlöffeln lauwarmem Wasser aufrühren. Hefe mit Zucker und dem restlichen Wasser glattrühren. Mehl mit Salz und rohen Zwiebelwürfeln vermischen. Schafskäse und Hefegemisch dazugeben und alles gut durchkneten. Warmstellen und gehenlassen. Unter Mehlzugabe erneut durchkneten. Zum Laib formen und auf gefettetem Backblech noch einmal gehenlassen. Oberfläche einkerben und mit Öl bestreichen. Bei 200 bis 220 Grad 50 bis 60 Minuten backen.

mit
Hildegard und
Michael schroff
verdrückt.

Notizen & weitere Rezepte:

Wissen Sie, woher die Redewendung kommt –

DA BLEIBT EINEM DER
BISSEN IM HALSE STECKEN?

Sie erinnert an ein unfehlbares Gottesurteil. Der Angeschuldigte mußte ein Stück trockenen Brotes oder harten Käse ohne Flüssigkeit hinunterschlucken. Gelang ihm das ohne Schwierigkeiten, so galt er als unschuldig. Blieb der Bissen im Halse stecken – sicher aus Furcht vor dem Erstickungstod oder einer Strafe – so war er in den Augen der Richter die Tat überführt.

Ein altertümlicher Lügendetektor!

Notizen & weitere Rezepte:

fig · 9

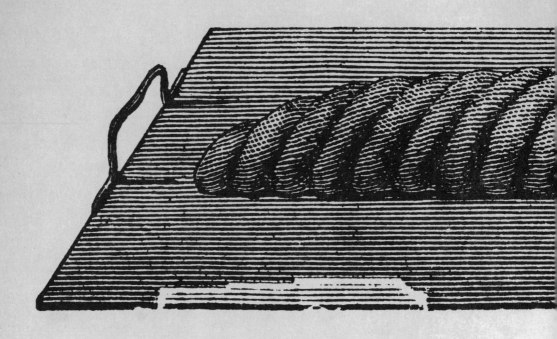

wurde auch für die Frau erfunden

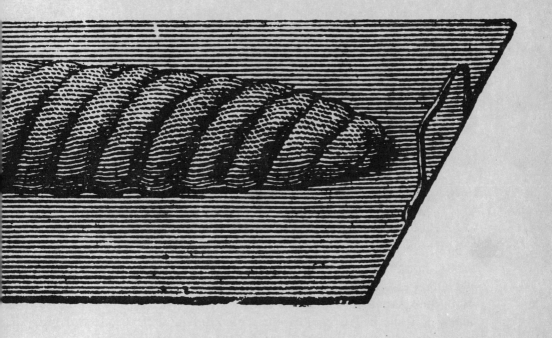

Das Pulver wurde auch für die Frau erfunden

Wenn Sie vielleicht doch erst einmal ohne Hefe oder Sauerteig anfangen wollen? Es gibt da so ein Pulver...

Das Pulver wurde für den Mann erfunden - damit er Kriege führen konnte. Und während er mit dem Kriegshandwerk beschäftigt war, sorgte die Frau daheim für das tägliche Brot. Denn die Arbeit des Backens erledigten über Jahrhunderte hinweg die Frauen. Erst bei den Römern wurde es anders - sie machten das Brotbacken zum ersten Mal zu einem (Männer-)Beruf. 170 vor Christi wurde in Rom die erste Bäckerzunft gegründet.

In späteren Zeiten kam es auf den Wohlstand der Familie an, ob die Frauen backten oder backen ließen. Die Bäckerzünfte sorgten in ihren Reihen für Recht und Ordnung. Schlecht erging es jenen, die sich nicht an die Gesetze hielten. Waren die Brötchen zu klein, so wurden die Bäcker an den Bäckergalgen gehängt, an den Pranger gestellt, gefesselt durch Flüsse gezogen oder aus dem Berufsstand davongejagt. Mit dem Leben bezahlte es im 16. Jahrhundert in Frankfurt a. M. ein Bäcker, daß er Mehl mit Sand vermischt hatte. Er wurde gezwungen, so wird berichtet, „ein Achtel Brod selbsten zu essen, als rechtmässige Straff. Nach diesem hat er nicht mehr gelebet lang."

Im 16. Jahrhundert blühte das Geschäft der Hausbäcker. Den örtlichen Gesetzen entsprechend wurden - so berichtet man aus Ulm - „vier Hausbäcker bestellt, von denen ein jeder ein Pferd, einen Karren und einen Knecht halten mußte, um den Leuten, die backen wollten, den Knettrog ins Haus zu schaffen, denselben später mit dem Teig abzuholen und zum Ofen zu fahren."

Jeder Ort schuf seine eigenen Gesetze. Als das Bäckerhandwerk seinen unverrückbaren Platz in der Gesellschaft einnahm, ging - vor allem in den Städten - die Hausbäckerei immer weiter zurück.

Wenn heute Hausbackenes wieder zu Ehren gekommen ist, dann ist das nicht nur eine nostalgische Modeerscheinung. Wir sind geschmacksbewußter geworden - und die genormten Produkte der Backindustrie können es mit den variationsreichen Schöpfungen aus dem heimischen Herd nicht aufnehmen. Übrigens: es muß nicht immer Hefe (oder Sauerteig) sein, was den Teig in die Höhe treibt. Denn mittlerweile ist das Pulver auch für die Frau erfunden. Keine Frage, daß jenes vom legendären Dr. Oetker sinnvoller einzusetzen ist als das Schießpulver des Franziskaners Bertold Schwarz...

101

Backpulver-Brote und -Brötchen –
es muß nicht immer Hefe sein

Galopp-Brot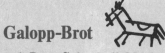

*500 g Weizenmehl, 1 Prise Salz, 3 dl Milch, 100 g
Fett, 1 Päckchen Backpulver*

Aus den Zutaten vorsichtig einen schwer fließenden Teig rühren. In
gefettete Kastenform geben und bei 200 Grad 40 bis 50 Minuten
backen. Kurz vor Ende der Backzeit mit Ei bestreichen und mit Mohn
bestreuen.

Backpulver-Stuten

*250 g Weizenmehl, 1 Prise Salz, 250 g Zucker,
3 Eier, 1 Päckchen Backpulver, 125 g Rosinen,
125 g gehackte Mandeln, 125 g Zitronat, 125 g
Orangeade*

Aus den Zutaten einen schweren Teig rühren. In eine gefettete
Kastenform geben und bei 200 bis 220 Grad 40 bis 50 Minuten
backen.

Schokoladenbrot

*500 g Weizenmehl, 1 Prise Salz, ½ l Milch, 1 Päck-
chen Backpulver, 250 g Zucker, 70 g Kakao*

Aus den Zutaten einen Rührteig herstellen. In einer Kuchenform bei
200 Grad 60 Minuten lang backen. Stürzen und sehr gut auskühlen
lassen.
Ein Tip: Das Brot schmeckt besonders gut, wenn es in ganz dünne
Scheiben geschnitten und mit Butter bestrichen wird. Für Kinder
ein Kuchen-Ersatz.

Kokosnuß-Brot

*250 g Weizenmehl, 1 Prise Salz, ¼ l Milch, 20 g zer-
lassene Butter, 150 g Zucker, 1 Päckchen Backpulver,
1 Prise Zimt, 1 Prise gemahlenes Nelkenpulver,
250 g Kokosraspeln*

Aus den Zutaten einen Rührteig herstellen. In ausgefettete und mit
Semmelmehl ausgestreute Kastenform geben. 60 Minuten lang bei
175 bis 180 Grad backen.

Ein Tip: Wenn man hat, kann man auch frische Kokosnuß nehmen
und raspeln, dann braucht man aber etwas mehr Zucker.

Karibisches Bananenbrot

ooooooooo lecker!

*300 g Weizenmehl, 1 Prise Salz, 140 g Fett, 1 Päckchen
Backpulver, 125 g Zucker, 1 Ei, 1 Prise Muskat,
500 g sehr reife Bananen*

Bananen zu Püree schlagen. In einer großen Schüssel Butter und
Zucker schaumig rühren, Bananenpüree und Ei dazugeben. Mehl, Gewürze und Backpulver dazurühren. In ausgefettete Kastenform geben
und bei 180 Grad 50 bis 60 Minuten backen.

Ein Tip: Das Bananenbrot kann, wenn man es sehr vorsichtig an-
schneidet, noch warm gegessen werden. Mit Butter bestrichen
schmeckt es vorzüglich zu Kaffee oder Tee.

Backpulverbrötchen

*300 g Weizenmehl, 1 Prise Salz, ¼ l Milch, 250 g
Fett, 1 Päckchen Backpulver, 1 Teelöffel Zucker*

Aus den Zutaten vorsichtig einen nicht zu weichen Teig rühren.
Stehen- und ruhenlassen. Mit bemehlten Händen vorsichtig kneten und
ausrollen. Kreise ausstechen und auf einem gefetteten Backblech bei
200 Grad 20 Minuten backen. Kurz vor Ende der Backzeit werden die
aufgegangenen Brötchen mit Fett bepinselt.

Buttermilchbrötchen

250 g Weizenmehl, 1 Prise Salz, ¼ l Buttermilch,
2 Eßlöffel Öl, 2 gestrichene Teelöffel Backpulver

Aus den Zutaten vorsichtig einen nicht zu weichen Teig kneten.
1 cm dick ausrollen. 8 cm große Kreise ausstechen. Auf gefettetem
Backblech bei 200 bis 220 Grad 15 bis 20 Minuten backen.

Scones

500 g Weizenmehl, 1 Prise Salz, 4 dl Milch, 75 g
Fett, 1 Päckchen Backpulver, 1 Teelöffel Zucker

Aus den Zutaten vorsichtig einen nicht zu klebrigen Teig rühren.
Stehen- und ruhenlassen. Mit bemehlten Händen durchkneten. Den
Teig in 4 Teile teilen. Jedes Teil zu einem runden Laib formen, der in
Kreuzform tief eingekerbt wird. Auf gefettetem Backblech noch einmal
gehenlassen und bei 225 Grad 15 bis 20 Minuten backen.

 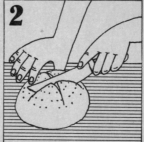 

Beim Essen werden die Scones in vier Teile gebrochen

Hedwige

500 g Weizenmehl, 1 Prise Salz, ⅛ l Milch, 100 g Fett,
1 Päckchen Backpulver, 80 g Zucker, 2 Eier, 125 g Ro-
sinen, 100 g Zitronat, abgeriebene Schale einer Zitrone

Aus den Zutaten einen schweren Teig rühren. 30 Minuten kühl stellen. Mit bemehlten Händen vorsichtig kneten. Kugeln formen. Flach drücken, mit Ei bestreichen und mit Zucker bestreuen. Bei 200 bis 220 Grad 15 bis 20 Minuten backen. Sofort nach dem Backen Deckel abschneiden, ein Stück Butter hineinlegen und den Deckel wieder aufsetzen. Hedwige sollten warm gegessen werden.

Hervorragend zum zweiten Frühstück mit Portwein!

105

Osterkränzchen mit Rum

375 g Weizenmehl, 1 Prise Salz, 150 g Fett, 1 Päck-
chen Backpulver, 150 g Zucker, 1 Ei, 2 Eßlöffel Rum

Aus den Zutaten einen Rührteig herstellen. Unter Mehlzugabe vorsichtig mit den Händen kneten. Dünne Teigröllchen formen, zu kleinen Zöpfen flechten und zu Kränzen drehen. Enden gut zusammendrücken. Auf gefettetem Backblech gehenlassen. Mit Ei bestreichen.
In die Mitte jeweils ein mit Öl bestrichenes ausgeblasenes Ei setzen,
damit die Kränzchen die Form behalten. Bei 180 bis 200 Grad 10 bis
15 Minuten backen. Nach dem Auskühlen setzt man zum Frühstück
ein gekochtes Ei ein.

Die Kränzchen zu Ostern
mit gefärbten Eiern
schmücken!

← Osterhase

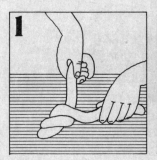 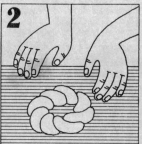 

Rosinen-Brötchen mit Schmalz

240 g Weizenmehl, 1 Prise Salz, ⅛ l Milch, 120 g Schmalz, 1 Päckchen Backpulver, 120 g Zucker, 1 Ei, 120 g Rosinen

Aus den Zutaten einen Rührteig herstellen. Vorsichtig Bälle formen. Auf gefettetem Backblech oder in Brötchenform bei 200 Grad 15 bis 20 Minuten backen.

Quark-Brötchen

500 g Weizenmehl, 1 Prise Salz, 50 g Fett, 250 g Quark, 1 Ei, 25 g Zucker, 2 Eßlöffel Wasser, 1 ½ Päckchen Backpulver

Aus den Zutaten einen glänzenden Teig herstellen. Vorsichtig zu Brötchen formen. Auf ein gefettetes Blech setzen, mit Eigelb bestreichen und bei 220 Grad 15 bis 20 Minuten backen.

Britische Buns

500 g Weizenmehl, 1 Prise Salz, ¼ l Milch, ¼ l Wasser, 25 g Fett, 1 Päckchen Backpulver, 50 g Zucker, 125 g Rosinen, 1 Prise Zimt, 2 Eier

Aus den Zutaten einen ziemlich festen Teig rühren, stehen- und ruhenlassen. Mit bemehlten Händen vorsichtig kneten. Kugeln daraus formen. Auf ein gefettetes Backblech geben. Bei 180 bis 200 Grad 15 bis 20 Minuten backen. Kurz vor Ende der Backzeit wird die Oberfläche mit milchverschlagenem Eigelb überpinselt. Die Buns werden lauwarm gegessen. Man schneidet sie in der Mitte auf und gibt ein Stück Butter hinein.

Schrotbrötchen

300 g Weizenschrot, 1 Prise Salz, ¼ l Buttermilch,
1 Päckchen Backpulver, 20 g Fett, 1 Ei, 2 Eßlöffel
brauner Rohzucker, 100 g Rosinen

Aus den Zutaten vorsichtig einen weichen Teig rühren. Stehen- und ruhenlassen. Mit bemehlten Händen vorsichtig zu Brötchen rollen. In gefetteten Brötchenformen bei 200 Grad 15 bis 20 Minuten backen.

In Öl gebackene Brötchen aus Mexiko

500 g Weizenmehl, 1 Prise Salz, 3 dl Milch, 2 Eß-
löffel Öl, 1 Päckchen Backpulver, 3 Eßlöffel Zucker

Aus den Zutaten vorsichtig einen nicht zu weichen Teig rühren. Stehen- und ruhenlassen. Mit bemehlten Händen vorsichtig durchkneten und ½ bis 1 cm dick ausrollen. In Dreiecke schneiden und in Öl goldbraun braten. Abtropfen lassen und noch warm essen.

Indische Puri

500 g Grahamsmehl, 1 Prise Salz, 4 dl Wasser, 50 g
Fett, 1 Päckchen Backpulver, 1 Teelöffel Zucker

Aus den Zutaten vorsichtig einen nicht zu weichen Teig rühren. Stehen- und ruhenlassen. Mit bemehlten Händen durchkneten und zu handtellergroßen Kreisen ausrollen. Auf beiden Seiten in Öl goldbraun braten. Abtropfen lassen und noch warm essen.

Notizen & weitere Rezepte:

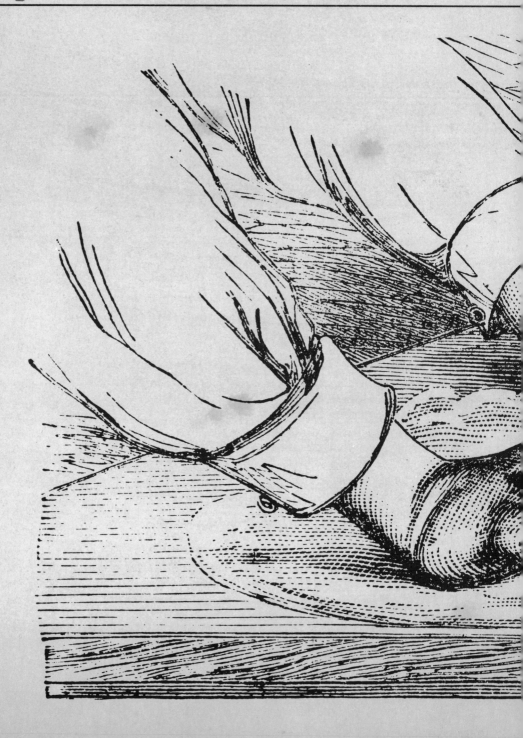

Brot war nicht nur zum Essen da

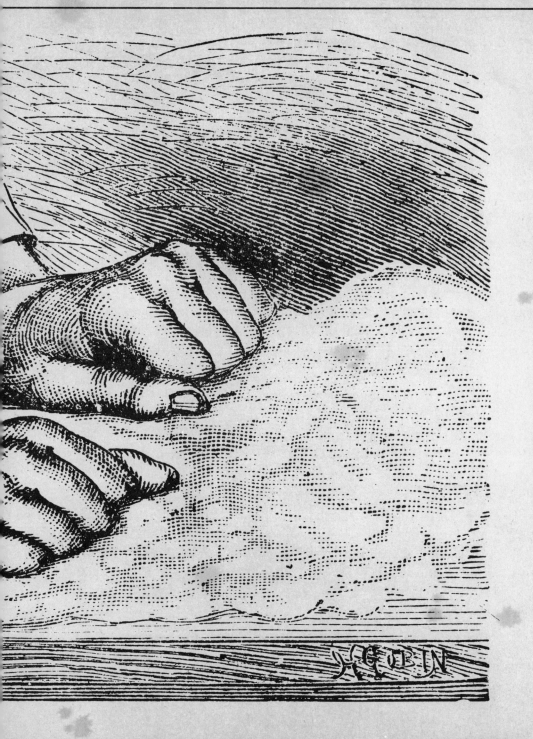

Brot war nicht nur zum Essen da

Haben Sie schon einmal Brotteig als Vorwand für viel bedeutendere Zutaten und als Unterlage oder Stütze benutzt? Wußten Sie, daß es Zeiten und Reiche gab, in denen Brot nicht nur als Nahrungsmittel diente? Hier zwei Beispiele:

M. von Kotzebue weiß im Jahre 1817 nach einer Reise durch Persien zu berichten: „An der Tafel der Reichen in Persien wird Brod auch fladenartig, aber nicht eigentlich gebacken, also auch nicht hart genossen. Wenn man zur Mahlzeit gehen will, so erscheint ein Diener mit einem ungeheuer großen Fladen, den er als Tischtuch über den Tisch ausbreitet, und darauf werden die anderen Speisen gelegt. Da die vornehmsten Reichswürdenträger alle Speisen mit den Fingern genießen, sich also weder der Gabeln noch Löffel bedienen, so muß ein solches Pfannkuchentischtuch doppelte Dienste leisten, indem man nach dem Genuß eines jeden Bissens sich die fettigen Finger daran abwischt, sodann das Stückchen abreißt und als Brod in den Mund steckt. Die Perser nennen dieses Tischtuchbrod Tschurek."

Am französischen Königshof wurden im 12. Jahrhundert Fladen als „Tranchierteller" und Eßteller gebacken. Nach dem Mahl warf man sie - mit Fett und Fleischsaft getränkt - den Hunden, die unter der Herren Tische saßen, zum Fraß vor.

Prager Schinken und ähnliches –
manches wird durch Teig erst schön

Russisches Kohlbrot

Teig:
750 g Weizenmehl, 1 Teelöffel Salz, ½ l Milch, 80 g
Fett, 2 Päckchen Hefe, 2 Teelöffel Zucker
Belag:
4 große Zwiebeln, 1 kg Sauerkraut, 125 g durchwachse-
ner Speck

Aus den Zutaten für den Teig einen geschmeidigen Hefekloß kneten.
Warmstellen und gehenlassen. In der Zwischenzeit Speck und Zwie-
belwürfel mit etwas zusätzlichem Fett anbraten. Sauerkraut dazugeben
und anbraten. Den Teig erneut durchkneten und halbieren. Eine Hälfte auf einem gefetteten Backblech ausrollen. Das Sauerkrautgemisch
gleichmäßig darauf verteilen. Den restlichen Teig ausrollen und vorsichtig darüberlegen. An den Rändern etwas andrücken. Mit der Gabel
häufig einstechen. Oberfläche mit Eigelb bestreichen. Erneut gehenlassen. Bei 200 Grad 40 bis 50 Minuten backen.

angebratene Pilze in die Füllung
sehr lecker!

Piroggen-Brot

Teig:
375 g Weizenmehl, 1 Prise Salz, ¼ l Milch, 40 g Fett,
1 Päckchen Hefe, 1 Teelöffel Zucker
Füllung:
500 g gemischtes Hackfleisch, 2 große Zwiebeln, 1 Tee-
löffel Salz, 1 Ei, 1 Prise Pfeffer, 1 Teelöffel Oregano

Aus den Zutaten für den Teig einen geschmeidigen Hefekloß kneten.
Warmstellen und gehenlassen. In der Zwischenzeit die Zutaten für die
Füllung gut verarbeiten. Hefekloß erneut gut durchkneten und zu
einem großen Rechteck ausrollen. Hackfleischmasse gleichmäßig dar-

113

auf verteilen. An der Längsseite aufrollen und zu einem Halbmond biegen. Vorsichtig auf ein gefettetes Backblech geben. Oberfläche mit einer Gabel mehrfach einstechen und mit Eigelb bestreichen. Brot erneut gehenlassen und bei 200 bis 220 Grad 40 bis 50 Minuten backen.

Nah warm essen!

Grundrezept für polnische Piroggen

250 g Weizenmehl, 1 Prise Salz, 4 Eßlöffel Wasser, 2 Eier

Aus den Zutaten einen nicht zu klebrigen Teig herstellen. Dünn ausrollen und Quadrate oder Kreise ausstechen. Füllen, die Ränder mit Eiweiß bestreichen und zudrücken. In kochendem Salzwasser abbrühen. Abtropfen lassen. In heißer Butter bräunen.

Piroggen-Füllungen:
Piroggen lassen sich mit jederlei Fleisch oder Obst füllen. Man kann zum Beispiel gut gewürztes Hackfleisch nehmen oder Schinkenwürfel. Man kann Pilze mit Zwiebeln anbraten. Man kann Käse und hartgekochte Eier nehmen. Sehr köstlich sind Blaubeer- oder Brombeer-Füllungen. Aus der polnischen Küche kennt man auch Quark-Piroggen - für die Füllung wird Quark mit Sahne und Eiern sehr süß angerührt. Bei süßen Füllungen werden die in Fett gebräunten Piroggen anschließend mit Zucker und Zimt überstreut.

*Smacznego!
Moja babcia przyprawiała je najlepiej.*

Zwiebelkuchen *mit Hannelore üben!*

Teig:
375 g Weizenmehl, 1 Prise Salz, ¼ l Milch, 50 g
Fett, 1 Päckchen Hefe, 1 Teelöffel Zucker
Belag:
2 ½ kg Zwiebeln, 200 g durchwachsener Speck, 20 g
Fett, 4 Eier ¼ l saure Sahne, 1 Teelöffel edelsüßer
Paprika

Aus den Zutaten für den Teig einen geschmeidigen Hefekloß kneten. Warmstellen und gehenlassen. In der Zwischenzeit den Speck würfeln und auslassen. Zwiebeln in Ringe schneiden und zusammen mit dem Fett im Speck glasig dünsten. Abkühlen lassen. Eier mit saurer Sahne und Paprika verschlagen und unter die abgekühlte Zwiebelmasse heben.
Den Hefekloß erneut durchkneten und auf einem gefetteten Backblech ausrollen. Noch einmal gehenlassen. Zwiebelmasse darauf verteilen. Im vorgeheizten Ofen bei 200 Grad 40 bis 50 Minuten backen.

Noch warm essen und einen guten Weißherbst dazu trinken.

Salzstangen

500 g Weizenmehl, 1 Eßlöffel grobes Salz, ¼ l Milch,
100 g Fett, 1 Päckchen Hefe, 100 g Zucker

Aus den Zutaten einen geschmeidigen Teig kneten. Warmstellen und gehenlassen. Erneut durchkneten und ½ bis 1 cm dick ausrollen. Mit grob gekörntem Salz, Kümmel und nach Wunsch geriebenem Parmesankäse bestreuen. In fingerbreite,10 cm lange Streifen schneiden und rollen. Auf gefettetem Backblech noch einmal gehenlassen und bei 225 Grad 10 Minuten backen.

Ungarische Käsestangen

*500 g Weizenmehl, 1 Prise Salz, 3 dl Milch, 25 g
zerlassenes Fett, 1 Päckchen Hefe, 1 Teelöffel Zucker,
ca. 60 g geriebener Parmesankäse*

Aus den Zutaten einen geschmeidigen Teig kneten. Warmstellen und
gehenlassen. Erneut durchkneten und 1 bis 1 ½ cm dick ausrollen.
Die ganze Fläche mit Eigelb bestreichen und mit grobem Salz und
Parmesankäse bestreuen. In ca. 2 cm breite Streifen schneiden, rollen,
auf gefettetem Backblech noch einmal gehenlassen. Bei 260 Grad
15 bis 20 Minuten backen.

Notizen & weitere Rezepte:

Notizen & weitere Rezepte:

Wie wär's mal an einem Festtag mit
PRAGER SCHINKEN ?
Sie holen sich von Ihrem Bäcker 3 bis 5
Pfund Schwarzbrotteig, kneten ihn gut durch
und rollen ihn zu einem großen "Tuch"
aus. Dahinein schlagen sie das Fleisch:
Ein Schinken-Stück, mit Nelkenpulver
bestäubt und gepfeffert — oder einen ent=
beinten Kassler, über Nacht in Rotwein
mariniert, mit Zwiebelringen und Käsescheiben
belegt. Der Teig wird wie ein Handtuch
um das Fleisch geschlagen, in die Ober=
fläche setzt man drei "Ofenrohre" aus
Alufolie, durch die Dunst abzieht. Der
gefüllte Laib backt bei starker bis mittlerer
Hitze auf bemehltem Blech 90 bis 120 Minuten.
Das Fleisch zieht den Sauerteig-Geschmack
an und schmeckt zart und würzig. Wer
mag, darf Teigstücke mitessen. Ein phan=
tastischer Fraß — auch für kalt/warme Buffets !

Notizen & weitere Rezepte:

Wie wär's mal mit einer

SÄCHSISCHEN ROULADE –

bei nach August dem Starken? Sie gehört noch heute zu den Top-Gerichten der alt-polnischen Küche.

Sie backen in einer Kastenform aus schwerem Schwarzbrotteig vom Bäcker ein 750-1000 g schweres Brot fast gar. Die Außenwände müssen fest stehen. Auskühlen lassen, vorsichtig die Kruste als Deckel abschneiden, den Laib aushöhlen. Füllen mit sehr würzigem, fertig gebratenem Gulasch oder Ochsenschwanzragout – viele Pilze gehören dazu, am besten Steinpilze! Brotdeckel wieder aufsetzen und das Brot noch 15 bis 25 Minuten backen. Sauce extra dazureichen und mit grober Buchweizengrütze servieren. Das Fleisch nimmt den Geschmack der "Sauerteig-Kruste" an und schmeckt dadurch sehr aromatisch. Das Brot wird nicht mitgegessen. Guten Appetit!

fig. 11

Wichtigste Zutaten: Geduld und Phantasie

Aller Anfag ist schwer. Sie brauchen vor allem Geduld - mit dem Teig und mit sich selber. Es gibt Brote, die nach gleichem Rezept erst beim dritten Mal gelingen - und manche, die dann nie mehr „klappen" wollen. Wichtig ist, daß man sich etwas Ruhe nimmt, eine nicht zu kalte und nicht zu zugige Küche und keine kalten Zutaten. Alles Weitere macht der Teig dann fast alleine.

Jedes Rezept birgt Fehlermöglichkeiten in sich, die vor allem in der Hefe liegen. Hefe geht nicht immer gleich gut. Mehle sind nicht immer gleich. Herde heizen verschieden. Backformen erzielen unterschiedliche Temperaturen. Deshalb müssen Sie jedes Rezept für den eigenen Bedarf „zurechtkneten". Vorgegebene Mehl- und Flüssigkeitsmengen sind variabel. Haben Sie den Mut, ein Rezept selbständig zu verändern! Mit der Zeit entstehen daraus völlig neue Gebäcke. Ihre! Versuchen Sie, wenn eine Sirupzugabe nötig ist, auch einmal einen viel aromatischer schmeckenden Kuchensirup. Machen Sie einfache Weizenbrote durch Zugabe von Eiern und Fett - oder Puderzucker (macht den Teig samten!) - festlicher. Ersetzen Sie Milch durch Wasser oder Bier oder Buttermilch.

Geduld gehört zum Brot-Backen - aber auch Ihre Phantasie!

Schicken Sie mir mal bitte Ihre neuen - oder alten! - Resepte!?

Hefeteig - schnell und einfach

Hefe ist etwas Lebendiges. Deshalb muß sie behutsam behandelt werden. Das ist aber auch die einzige Schwierigkeit beim Zubereiten eines Hefeteiges. Gehören Sie zu den Hausfrauen, die Angst vor Hefeteig haben? Sie werden sehen - das ist unbegründet.

Geben Sie Mehl und Gewürze in eine große Schüssel. Dann wärmen Sie die im Rezept vorgesehene Flüssigkeit auf etwa 35 Grad (handwarm, Sie dürfen und sollen am besten mit dem kleinen Finger fühlen!). Die Hefe wird in eine hohe Tasse gebröckelt, mit etwas Zucker überstreut und mit wenigen Eßlöffeln der erwärmten Flüssigkeit übergossen. Mit einem Löffel glattrühren und stehenlassen. In der Zwischenzeit lösen Sie - falls das Rezept eine Fettzugabe vorsieht - in der warmen Flüssigkeit das Fett, geben die Flüssigkeit zum Mehlgemisch und gießen die Hefelösung darüber. Zunächst mit einem Holzlöffel gut durchrühren. Dann mit bemehlten Händen gut durchkneten, bis der Teig geschmeidig ist. In der Schüssel zugedeckt warm (aber nicht heiß!) stellen und aufgehen lassen, bis der Teigball die doppelte Höhe erreicht hat. Noch einmal ganz kräftig durchkneten. Ausformen und bakken.

ist doch ganz einfach, oder?

Frische Hefe kaufen Sie in Lebensmittelgeschäften oder beim Bäkker in Würfeln (42 g) - es gibt sie auch in 500 g-Würfeln, prima und preiswert! Aber - diese lassen sich sehr schwer portionieren und bröckeln leicht! Frische Hefe läßt sich auch ohne Zugabe von Flüssigkeit mit der Gabel und etwas Zucker aufrühren. Für manche Rezepte ist das notwendig. Man kann auch Hefe gebröckelt zum Mehlgemisch geben, ohne sie vorher glattzurühren. Ich habe das in vielen modernen Rezepten gefunden. Aber mir ist es hin und wieder passiert, daß sich dann kleine Hefe-Klümpchen bilden, die sich auch während des Knetens und Backens nicht auflösen und leider später im Teig steckenbleiben. Daher mein Rat - lieber vorher schnell glattrühren.

Trockenhefe muß unbedingt nach Anweisung (auf der Packung) behandelt werden. *Gut als Reserve liegen haben.*

Kneten können Sie den Teig mit der Hand, mit einem elektrischen Handrührgerät oder mit den Knethaken der elektrischen Küchenmaschine. Alle drei Mögichkeiten können gleich gut sein. Sie allein müssen auprobieren, welche Methode Ihnen am meisten liegt. Ich rate Ihnen, das erste Ankneten der Roggenmehlteige - die meist sehr klebrig sind - mit einer Maschine zu erledigen. Mit Sicherheit haftet dem Kneten mit der Hand der Hauch des Altmodischen an. Nostalgisches Walken gerät zum Tick... Aber so manche modern denkende und arbeitende Hausfrau, an viele Maschinen gewöhnt, schwört dennoch darauf, „nur mit der Hand fühlen zu können, wann ein Teig gut ist". *ich auch!*

Da Hefe etwas Lebendiges ist, kann die notwendige Hefemenge etwas variabel sein. Es kommt sehr auf die Hefe, die Zutaten und die Temperatur an. Ein Würfel frischer Hefe mit 42 g reicht generell für 500 g Weizenmehl. Bei sehr leichten Teigen kann man eventuell mit 25 g Hefe auskommen - das müssen Sie selbst ausprobieren. Je mehr Fett und Eier dem Teig zugegeben werden, desto schwerer wird der Teig. In diesem Fall sollten Sie auf 500 g Mehl den ganzen Hefewürfel verbacken.

Bei Zusatz von Roggenmehl und beim Verarbeiten von Schrot muß mit Sauerteig gearbeitet werden. Er schließt den Kleber im Roggenmehl auf. Sauerteig können Sie sich fertig beim Bäcker holen. (Man braucht ihn auch, um Fleisch und Schinken einzubacken.) Eine Tasse voll Sauerteig wiegt etwa 250 g. Das ist die Menge, die Sie für ein normalgroßes Roggen(-misch)brot brauchen.

Sauerteig können Sie aber auch selbermachen:

Selbstgemachter Sauerteig: *nach Hausfrauenart*
200 g grobes Roggenmehl mit 2 dl Buttermilch und einer Prise Salz verrühren, in eine Schale geben, mit einem Tuch abdecken und 5 - 6 Tage bei etwa 25 Grad stehenlassen.

oder:
2 gehäufte Eßlöffel Roggenmehl und einen gehäuften Teelöffel Kümmel mit lauwarmem Wasser zu einem dicken Brei verrühren, mit einem Tuch bedecken und 5-6 Tage bei etwa 25 Grad stehenlassen.

oder:
300 g Roggenmehl oder Weizenmehl mit 25 g Hefe und 2 dl Wasser zu einem Brei verrühren, mit einem Tuch bedecken und 5-6 Tage bei etwa 25 Grad stehenlassen. *Das gelingt mir am besten!*

Was Sie selbst als Sauerteig herstellen oder vom Bäcker fertig bekommen, muß vor dem Backen aufgefrischt werden. Dazu fügt man dem Sauerteig 24-48 Stunden vor dem Backen noch 2 bis 4 gehäufte Eßlöffel Roggenmehl hinzu, füllt mit lauwarmem Wasser auf, bis ein dickflüssiger Brei entsteht und stellt diesen zugedeckt bei etwa 28 Grad warm. Am Backtag gibt man noch einmal Mehl dazu, bis der Sauerteig knetfest ist, arbeitet ihn gut durch, nimmt die Hälfte für das geplante Brot ab und läßt die andere Hälfte in einer Schüssel zugedeckt bis zum nächsten Backtag stehen. Dieser Dauer-Sauer hält sich, wenn Sie ihn regelmäßig nach etwa einer Woche auffrischen, beliebig lange. Er darf nicht zu warm stehen, damit sich keine sogenannten „wilden" Säuren bilden.

Wenn es nur darum geht, den Geschmack des Sauerteiges vorzutäuschen, genügen einige Tropfen Milchsäure (aus der Apotheke) im Teig.

macht den meisten Spaß!

Das Formen und die Formen

Brotteig läßt sich zu jeder beliebigen Form legen - besonders gut eignet sich geschmeidiger Weizenteig. Sie können Stränge rollen und flechten, Buchstaben legen und Vögel schlingen. (Die Backzeiten verringern sich, wenn Sie nach einem Rezept für einen Brotlaib Brötchen oder flaches Gebäck formen.)

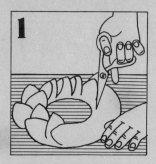 

Die Backformen, in denen Brote gebacken werden können, finden Sie auch in Ihrem Haushalt. Da sind alle jene Formen, die man auch für Kuchen braucht. Kasten eignen sich besonders gut für Roggenbrote. Weizenbrote lassen sich hervorragend in Springformen backen. Schlingen Sie sie am besten aus einem großen Strang zu einem dicken Knoten! Für Brötchen gibt es spezielle Bleche mit kleinen Aushöhlungen (Muffin-Formen). Es eignen sich auch kleinere Fettpfannen und Jenaer Glasschüsseln. Kleine Brote lassen sich vorzüglich in Kinder-Backformen (Springform und Kastenform) backen. Aus Teigen, die nicht zu weich sind, können Sie Brötchen und Brote formen, die direkt auf dem Blech (freigeschoben) gebacken werden.

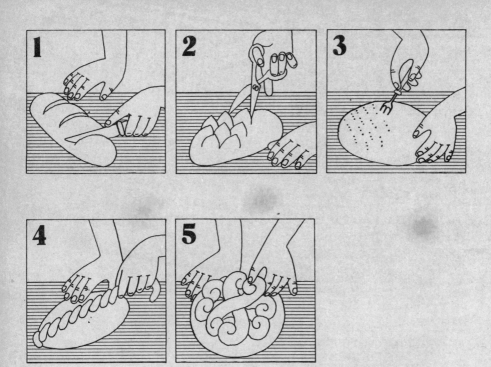

Die Oberfläche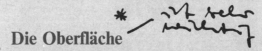

Es ist wichtig, die Oberfläche der Brotlaibe vor dem letzten Aufgehen einzuschneiden oder einzukerben. Man macht das mit einem Messer oder mit der Schere. Muster der Schnitte oder Kerben sind der Phantasie überlassen. Wichtig ist, daß der Teig dadurch besser gehen kann. Flachere Brote müssen zumindest mit einer Gabel eingestochen werden.

Es sieht gut aus, wenn man Brote vor dem Backen - oder bei einigen Rezepten kurz vor Ende der Backzeit - bestreicht. Eigelb oder milch-verquirltes Ei machen die Kruste goldgelb und glänzend. Schwarzer Kaffee (evtl. süß) oder Sirup schaffen eine dunkle, glänzende Kruste. Wasser macht die Oberfläche glatt.

127

bestreuen
mit
Mohn,
Sesam,
Mandeln,
Hagelzucker!

Wenn Sie eine besonders knusprige Kruste haben möchten, müssen Sie während des Backens viel Wasserdampf in den Ofen geben. Mindestens durch eine Tasse mit Wasser, die auf dem Rost stehenbleibt. Oder Sie füllen die Fettpfanne mit Wasser und stellen die Backformen darüber auf einen Rost. Oder Sie gießen während des Backvorganges häufiger kochendheißes Wasser aus einer Tasse in den Ofen und schließen ganz schnell die Ofentür.

Gewürze in Kürze

Gewürze sind das i-Tüpfelchen in jedem Brot. Der beste Teig schmeckt „leer", wenn Salz fehlt. Für manche Kräuter- und Gewürzbrote sollten Sie auch einmal Gewürzsalze versuchen (oder Sellerie-, Hickory- und Knoblauch-Salz).

Die klassischen Brotgewürze sind Anis, Fenchel, Kümmel und Kardamom. Auch Mohn und Sesam gehören seit altersher in oder auf den Teig. Zerstoßen Sie körnige Gewürze selbst im Mörser oder kaufen Sie sie als Pulver (am besten und besonders frisch in Apotheken und Reformhäusern). Körner lassen sich gut als Dekoration auf die mit Eigelb oder Milch bestrichene Oberfläche der Brotlaibe streuen.

Einige Gewürze haben ganz spezielle Wirkungen - so macht Curry das Zwiebelbrot nicht nur schön gelb - es nimmt den Zwiebeln auch zugleich die Schärfe und macht den Geschmack lieblicher. Safran - sehr teuer und kostbar - muß immer erst vorsichtig in etwas Rum oder Wasser angerührt werden. Er macht bekanntlich „den Kuchen gel" (gibt dem Teig eine kräftige, gelbe Farbe).

Etwas Zucker (oder Sirup, oder Honig) muß in jedem Falle sein - auch bei ganz „grün" schmeckenden Kräuterbroten. Zucker hilft der Hefe beim Treiben. Rohzucker gibt dem Brot zusätzlich noch einen kräftigen Geschmack.

128

Garprobe und Auskühlen

Machen Sie beim Brotbacken die Garprobe mit der Hand. Sie klopfen mit dem Fingerknöchel von oben und von den Seiten auf den gebackenen Laib. Wenn das Brot hohl klingt, ist es gut. Sie können beim Herausnehmen aus dem Ofen noch einmal mit der flachen Hand zur Kontrolle nachklopfen. *Nicht so oft neugierig in den Ofen gucken!!!*

Das Brot muß sofort nach dem Backen aus der Form oder vom Backblech gehoben und auf ein Kuchengitter gelegt werden. Ein darübergebreitetes sauberes Handtuch verhindert, daß dem Brot alle Feuchtigkeit zu schnell entzogen wird. Backpulverbrote können noch warm angeschnitten werden. Brote, die mit Hefe und/oder mit Sauerteig gebacken worden sind, brauchen mindestens 2 Stunden Ruhe. Bei Brötchen ist das natürlich anders. Überraschen Sie mal Ihren Besuch mit heißen, frschgebackenen Brötchen!

Aufbewahren und Einfrieren

Hausgebackenes Brot sollten Sie etwas vorsichtiger behandeln als gekauftes, maschinell gearbeitetes. Auf keinen Fall mit der Maschine schneiden! Ohne Druck lagern! Es sollte auch nicht offen liegenbleiben, da es dann zu schnell trocken wird.

Das Einfrieren von Brot ist sehr gut möglich. Es kann allerdings passieren, daß wiederaufgetautes Brot sehr bröckelig wird. Tauen Sie Brot langsam auf. In ganz besonders eiligen Fällen können Sie es im Aufbackverfahren erwärmen.

Ich mach immer wieder welche!

Wenn das Brot nicht hochgegangen ist - *sowas nennt man Platzfüße.*
  Zuviel Mehl oder zuwenig Flüssigkeit,
  oder: Flüssigkeit war beim Ankneten zu heiß,
  oder: Hefe zu heiß angerührt,
  oder: Sauerteig war nicht mehr gut.

Wenn das Brot zu kompakt geworden ist -
  Zuviel Fett, Zucker oder Eier,
  oder: zuwenig durchgeknetet,
  oder: beim Aufgehen im Zug gestanden,
  oder: Teigflüssigkeit war zu kalt.

Wenn das Brot einen Klitschstreifen hat -
  Nicht genug geknetet,
  oder: Ofen zu heiß, so daß die Außenschicht schon gebacken
  war, der Teig innen aber noch klitschig blieb.

Wenn das Brot zu sehr bröckelt -
  Zuviel Hefe,
  oder: zu lange mit der Maschine geknetet,
  oder: Sauerteig war nicht mehr in Ordnung,
  oder: keiner oder zuwenig Sauerteig bei größerer
  Roggenmehlmenge.

Schrotbrot und welche mit Vollkornmehl sind immer etwas bröckelig.

Wenn das Brot eingefallen aussieht -
  Zu lange gestanden,
  oder: beim Aufgehen zu warm gestanden

Hefe weder zu heiß noch zu kalt anrühren!

dann: den Teig unbedingt ein Mal mehr kneten vor dem Backen!

Notizen & weitere Rezepte:

Aus Teigresten formte man früher allerorten kleine Figuren für die Kinder -
"Brotpuppen" nannte man sie in der
heute polnischen Kaschubei. Dort auch
gibt es heute noch das Sprichwort:
Was wäre das für ein Brotbacken
ohne Brotpuppen!

Sehr jungen Mädchen und Bräuten
sagen die Kaschuben nach:
Die versteht noch nicht, Brotpuppen
zu backen — und will schon
heiraten!

Machen Sie doch auch einmal für
Ihre Kinder Figuren aus den
Teigresten! Das Brot-Backen bringt
dann auch den Kleinen Spaß!
Fragen Sie mal meine vier Räuber!

Notizen & weitere Rezepte:

Interessiert Sie noch mehr
Historie ums Brot?

Es gibt Brot-Museen -
in Ulm, Mollenfelde und
bei Bremen:

Deutsches Brotmuseum
79 Ulm, Postfach

Europäisches Brotmuseum
3511 Mollenfelde bei Göttingen

Windmühle in Oberneuland
bei Bremen (gehört zum
Focke-Museum, 28 Bremen)

Schreiben Sie doch mal hin -
oder fahren Sie hin! Es
lohnt sich! Ich finde die
Ausstellungen großartig!

Kleine Mehlsorten-Kunde

Weizenmehl – Type 450 (gibt es überall zu kaufen)
                  Type 550 (selten in Geschäften, besser beim Bäcker
                             oder in der Mühle)

Weizenschrot – Type 1700 (Reformhaus oder Mühle)

Roggenmehl, sehr fein – Type 997 (Bäcker oder Mühle)

Roggenmehl, grob – Type 1800 (Bäcker oder Mühle)

gequetschter Roggen (Mühle)
gebrochener Roggen (Mühle)

Die Rezeptangabe „Vollkornmehl" bedeutet:
gequetschter oder gebrochener Roggen.

Mehl kauft man am besten in größerer Menge in der Mühle. Beim Bäcker erfährt man, wo die nächstgelegene Mühle steht, die auch auf Kleinverkauf eingerichtet ist.

Flüssigkeits-Mengen

Es ist besonders schwierig, für Hefeteige die genau richtige Flüssigkeits-Menge anzugeben. Sie kann von Mal zu Mal etwas differieren. Der Eigen-Brötler muß selbst herausfinden, wie fest ein Teig sein darf oder muß.

1 Liter = 1000 ccm = 1000 ml = 10 dl
1 dl = 100 ml = 100 ccm = $\frac{1}{10}$ Liter

Vom Brot allein
kann man nicht leben,
es muß auch Wurst
und Schinken geben.

Inhalt

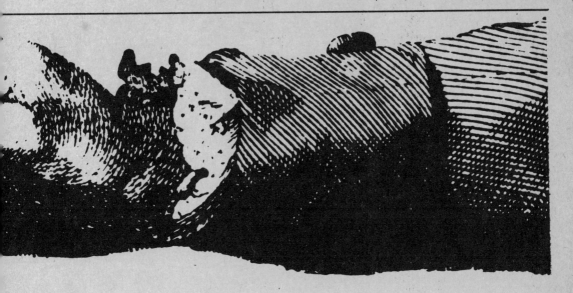

I Weißbrote –
aller Anfang ist leicht

II Stuten –
hier wird gerollt und geflochten

III Weizenmischbrote –
schwere Brote leicht geknetet

IV Roggenbrote –
säuern lassen – nicht sauer werden

V. Brote aus vielerlei „Mehl" –
Kartoffel, Mais, Hirse und Reis strecken und schmecken

X. Prager Schinken und ähnliches –
manches wird durch Teig erst schön

1975 scheint mir das „Besinnungsjahr des Brotes" zu werden. Von drei Verlagen weiß ich, daß sie daran arbeiten, ein Buch über das Brotbacken herauszubringen. Als wir zu Beginn des Jahres 1974 Kontakt aufnahmen mit der Autorin dieses Buches, war das Brotbacken weitgehend vergessen.

Ich freue mich deshalb besonders, daß ich in Frau Kürtz aus Kiel-Möltenort eine Autorin gefunden habe, die seit Jahren die Brote für ihre Familie selber backt. Bei meinen Besuchen im Hause Kürtz war ich immer erstaunt, daß sie bei all den Kindern und der Hektik im Haus immer noch schnell dazu kam, man merkte es kaum, ein paar Brote zu zaubern. Die schmecken, das kann ich Ihnen verraten! Und wenn man ihr glauben darf, dann geht das wirklich sehr schnell und ist sehr preisgünstig. Als Frau des ZDF-Korrespondenten für Skandinavien nimmt sie natürlich die Möglichkeit wahr, viel zu reisen. Auf diesen Reisen hat sie bekannte und unbekannte Rezepte gesammelt, alte und neue Kochbücher ausgegraben und die Reihe ihrer Brotbackrezepte vervollständigt. Ihr sei an dieser Stelle herzlich gedankt.

Nachdem ich mir einige Farbfotos vom Brotbacken angesehen hatte und die so schön in Pose gesetzten Brote mit meinen verglich, war ich völlig frustriert. Denn das, was ich gebacken hatte, sah nicht annähernd so schön aus, wie das, was ich auf den Fotos vorfand, doch schmeckten sie einfach fabelhaft. Ich habe deshalb das Brotbackbuch in der Reihe unserer Kochbücher fortlaufen lassen, und ich hoffe, daß Ihnen die Illustrationen gefallen. Darüber hinaus habe ich größten Wert darauf gelegt, Ihnen als Brotbäckern Erläuterungen zu geben, wie man besonders schwierige Brote zurechtmacht. Deshalb die Reihenfolge der kleinen Zeichnungen. Ich halte sie für sehr anschaulich und würde mich sehr freuen, wenn Sie mir noch einige Tips, Kniffe und Verbesserungen dazu geben. Diese Zeichnungen hat Thea Ross aus Münster für mich gemacht, eine Grafikerin, deren Handwerk ich sehr schätze. Antje Vogel-Steinrötter ist wieder mal für Einband und Titelblatt verantwortlich, auch fielen ihr die vielen kleinen Sprüche als Zeilenrandbemerkungen ein. Herr Schmitte sorgte für den Satz und die Druckerei Cramer in Greven sorgte für die Herstellung.

142

Wenn Sie sich für weitere Bücher aus unserem Verlag interessieren, schreiben Sie uns oder fragen Sie Ihren Buchhändler. Nachdem Sie dieses Buch kennengelernt haben, werden Ihnen sicher auch unsere anderen Titel zusagen, wobei Sie diejenigen, die wie das vorliegende Buch auch zur Landschaftsserie gehören, alle zu dem gleichen Preis erwerben können.

Eine kleine Überraschung haben wir noch für Sie. Sie können bei uns eine Schürze aus dem Umschlagstoff dieses Buches, aber auch aller anderer Landschafts-Titel unseres Verlages bestellen, besonders zum Verschenken und Selberschenken, zum Preis von DM 18,–. Sie wird Ihnen bestimmt gefallen!

In unserem Verlag sind erschienen: